Vorwort

Dieses Buch ist nich

schreiben, weil es in der

Unendlichkeit kein fertig gibt, Euer Bewusstsein macht einen Schritt nach dem anderen mit jedem Atemzug. Mit jedem Atemzug macht Euer Bewusstsein einen Schritt vor den anderen. Der Fluss des Bewusstseins, die Bewegung der Nichtbewegung im ewigen Fluss des Seins. Panta Rei - alles fließt. Dieses Buch erlaubt aber die Sicht, auf die Sicht der Möglichkeit, das alte Buch der begrenzten Möglichkeiten zu schließen und als ausgelesen, fertiggelesen, für immer abzuhaken und das neue Buch zu öffnen und zu lesen beginnen. So sind diese einleitenden Worte zugleich auch meine Schlussworte, ohne wirklichen Schluss des neu geöffneten Buches. Das absolute Ende des alten Buches eröffnet die Absolute des neuen Buches. Und diese Absolute ruht in der unendlichen Ewigkeit in der ewigen Unendlichkeit von Allem, was ist im Nichts, denn das Nichts ist Alles und Alles ist Nichts. Die Fülle ist nur in der Leere zu finden. Die Bewegung nur in der Bewegungslosigkeit und das Wort des Nichts in der Stille.

united p.c.

Gedruckt in der Europäischen Union auf umweltfreundlichem, chlor- und säurefrei gebleichtem Papier.

www.united-pc.eu

ANNA

Das Prinzip

Satire für Erwachsene

Karin Stefanie Heckmann by Mo

Roman

Einleitung

Wenn Ihr zu lesen beginnt, wird der Text Fragen aufwerfen, aber auch Antworten. Viele dieser Antworten werden erneute Fragen aufwerfen. Es kann auch sein, dass es Fragen gibt, auf denen Ihr am Ende sitzen geblieben seid. Aber nach diesen Seiten sollte es keine Schwierigkeit mehr sein, die vielleicht noch fehlenden Antworten von Euch selbst zu erhalten.
Es wartet eine Ladung an Informationen auf Euch darauf, entdeckt, verstanden und begriffen zu werden, das mag manchmal zu Tönen wie äh, uh, ih führen, aber auch zur

Verwirrtheit, aber die Informationen führen Euch auch wieder heraus. Das Prinzip ANNA. Weil die Weisheit in der Seele liegt und nicht im Status. Aber es gibt einen Grund, wieso das Prinzip einen Namen hat, nämlich den, dass es noch ein zweites Prinzip gibt und dieses Prinzip ist das bestehende Weltenprinzip, und dieses gilt es abzulösen, im wahrsten Sinne des Wortes. Weiteres zeigt ANNA schön die Mitte auf, ob von links oder rechts gelesen. ANNA bleibt ANNA, somit kein Links, kein Rechts und verweist auf die <u>Mitte*</u> Und somit können wir auch einem Teil von ANNA einen Namen geben, nämlich MO.

Wer oder was ist MO? Die Frage wird schon mal wichtig, denn MO ist was und wer. Jetzt lest mal MO* rückwärts. Und? Jawohl OM. Ja das OM wird jetzt weniger Fragen aufwerfen, aber das MO, da wird das Fragezeichen dick und groß. Aber keine Panik, wir sind nicht auf der Titanic, das Fragezeichen wird sich in ein Rufezeichen verwandeln und dann in einen Punkt, punktum. Was oder wer ist MO. Das ist ganz einfach. MO steht für das umgedrehte OM, also begrüßt die Göttin in Euch! Wer ist die Göttin in Euch? Die Göttin in Euch ist Euer Gefühl, somit Euer Gefühlskörper, deren Erhöhung an wichtigster Stelle steht. (Achtung manche Wörter sind aus dem Tirolerischen entlehnt, sie sollten aber dennoch verständlich übertragen worden sein, sowie Wortkreationen. Dies gilt für das gesamte Buch)

Es werden im Text Begriffe mit einem *Sternchen gekennzeichnet werden, das soll Euch aufzeigen, welche Themen im weiteren Verlauf des Buches, noch eine Vertiefung in der Betrachtung erfahren. Also viel Spaß und Spannung möge die vor Euch liegende Spannung die sein, die Ihr braucht und auch im weiteren Verlauf selbständig halten könnt.

010 Äther-Energiekörper 1 0110 Gefühls-Energiekörper 2 01110 Mental-Energiekörper 3 011110 Spiritual-Energiekörper 4

0111110 Kosmischer Körper – Mensch 5 01111110 Mensch – der Beobachter 6

Mensch, den sich der Schöpfer erdacht hat, in der Handlung. Mo-Grade 1-7

Absteigender Weg, erfolgt automatisch mit Herz ohne Punkt.

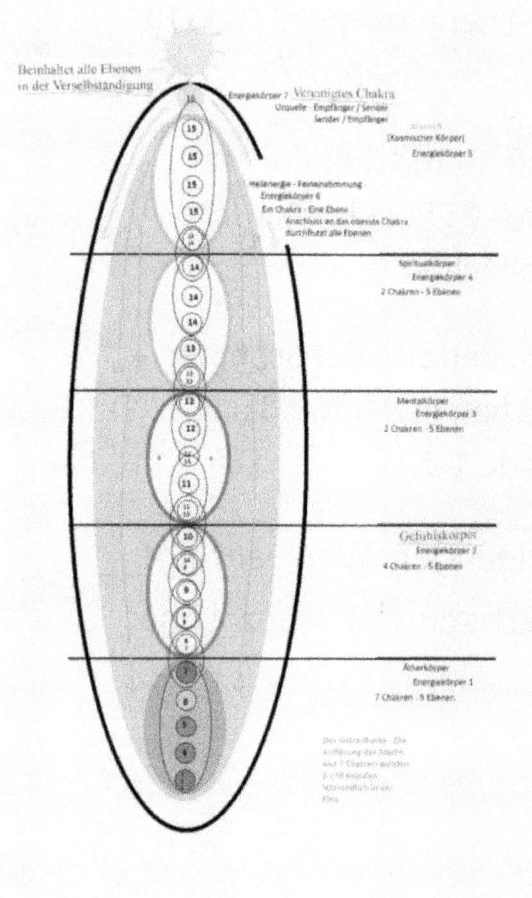

Die Energiekörper, die Chakren

Beschreibung zum Bild „die Energiekörper, die Chakren" Von oben nach unten:

Links: Beinhaltet alle Ebenen in der Verselbständigung 16 Energiekörper 7,

Vereinigtes Chakra

Urquelle: Empfänger/Sender Sender/Empfänger
15 Heilenergie - Feineinstimmung
Energiekörper 6

Ein Chakra - eine Ebene

Anschluss an das oberste Chakra, durchflutet alle Ebenen

15 Mensch (Kosmischer Körper)

Energiekörper 5

---

14 Spiritueller Körper

Energiekörper 4

2 Chakren, 5 Ebenen

---

12 Mentalkörper

Energiekörper 3

2 Chakren, 5 Ebenen

---

10 Gefühlskörper

Energiekörper 2

4 Chakren, 5 Ebenen

---

7 Ätherkörper

Energiekörper 1

7 Chakren, 5 Ebenen

Der Gottesfunke - Die Auflösung der Macht. Aus 7 Chakren werden 5 und münden letztendlich in der Eins.

1) Energieköper 1 = Ätherkörper

Bei vorhandenem Ätherkörper = Jenseits, ohne vorhandenem Ätherkörper = Staub zu Staub. Ätherkörper = 7 Hauptchakren geöffnet. Vollendeter Ätherkörper öffnet Chakra 8 = Informationsanstieg

2) Der Gefühlskörper mündet wiederum aus dem Nabel-, Magen-, Wurzelchakra und Herzchakra und ist in 5 Entwicklungsstufen gegliedert, die wir ebenfalls mit Hilfe von Kreisen darstellen. Diese Entwicklungsstufen sind gekennzeichnet durch die Summe der richtigen Entscheidungen, dadurch löst sich energetisch das

Magenchakra (Solarplexus) auf
und das Nabelchakra, das
wiederum beginnt mit dem
Wurzelchakra eine Einheit zu
bilden, zieht sich ein in den
Bereich, wo vorher das einzeln
stehende Magenchakra war. Das
wiederum macht die Summe der
richtigen
Entscheidungen durch die
Abwesenheit von Macht, die man
über andere gewinnen will,
leichter, was jedoch als nächste
Hürde besteht ist, dass es nun
gilt, eine Summe von richtigen
Entscheidungen zu treffen, die
nicht den Urgrund haben, Macht
über andere auszuüben, sondern
den Mut erfordern, richtige
Entscheidungen zu treffen,
obwohl andere Macht über einen

selbst ausüben. Das eine ist die linke Seite und das Andere die rechte Seite des höheren Herzens.

Hürde 1 = Meister 1 = Tod 1

Dadurch geschieht die Öffnung des höheren Herzens nicht gleichzeitig, sondern links und rechts hintereinander.

Das Verständnis über die Aktivierung des höheren Herzens erlaubt uns nun auch, das Verständnis zu erlangen über einen Teilbereich in der Entwicklung des Negativbildes, das im Königreich der tellurischen Throne endet, nämlich Kreuze links und rechts über dem Kopf des Negativbildes. Das stellt dar, die Summe der falschen

Entscheidungen, die man trifft, weil man Macht über Andere ausüben möchte und die Summe von falschen Entscheidungen, die man trifft, weil andere Macht über einen ausüben. Das führt dazu, dass die positiven Seiten des Gefühls- (weiblich) und Mentalkörpers (männlich) nicht mehr verbunden sind und das Gehirn in eine Art androgynen Zustand verfällt, die jegliche positive Energie von weiblich und männlich verloren hat. Das gibt uns wieder gleich Gelegenheit, uns darüber klar zu werden, oder aber auch definieren zu können, was höhere Intelligenz, Gefühls-Intelligenz, sprich höheres Selbst ist, nämlich, wenn sich Synapsen, die durch den Begriff mental (männlich) und Gefühl (weiblich) getrennt sind, miteinander verbinden und der Einheit dadurch immer näherkommen, bis es zu dieser verbunden ist. Synapsen, die sich durch jede richtige Entscheidung zusammenschließen. Die vollendeten 5 Stufen des Gefühlskörpers öffnet Chakra 9 und hat in Verbindung mit den 5 Stufen des höheren Herzens die Fähigkeit, das Hinterhauptchakra zu öffnen, das wiederum eine an Kraft zunehmende Intelligenz in Euch erlaubt, die die Stärke hat, sich Auge in Auge, Eurem eigenen in Eurem Gehirn innewohnenden Patriarchen, entgegenzustellen.

Dieses in Euch innewohnende Patriarchat, das so lange die Lüge als Wahrheit wahrgenommen hat, nimmt Euch erstmals als Größe wahr, nicht ahnend, dass diese Größe ein eigener Teil von ihm selbst ist.

Hürde 2 = Hinterhauptschakra = Tod 2

1)Der Mentalkörper ist verbunden mit dem Halschakra und dem 3. Auge. Wenn der Mentalkörper beginnt mit dem Gefühlskörper Auge in Auge Informationen auszutauschen, erkennt der Mentalkörper die Wahrheiten des Gefühlskörpers. Der Gefühlskörper wiederum erkennt das Gefängnis und die

Abhängigkeiten, in dem sich der Mentalkörper befindet. Durch den Austausch dieser beiden
Körper - Energieebenen, erkennt der Mentalkörper erstmals sein eigenes Gefängnis und erhält erstmalig die Gelegenheit, den Gefühlskörper, unterstützt durch den Mentalkörper, die Wahrheit nicht nur wahrzunehmen, sondern sie verbal auch äußern zu können. Das führt schließlich und endlich zur Einheit der beiden. Wobei der Gefühlskörper dem Mentalkörper die Angst vor der Wahrheit nimmt und der Mentalkörper dem

Gefühlskörper die Kraft zur Wahrheit gibt. Mag sich das jetzt so anhören wie eine Liebesgeschichte zwischen Mann und Frau, so sagt es uns, dass es eine ist zwischen Euren verschiedenen Gehirnarrealen. Der Mentalkörper öffnet wiederum das Chakra Nr. 10 mit dem Namen „die innere Weisheit". Chakra 11 und 12 = der innere Mut für andere. Die Energien der Chakren 11 und 12 sind variabel austauschbar, sowie es auch von Mensch zu Mensch verschieden ist, welche Seite des höheren Herzens sich als erste öffnet. Chakra „0" Hinterhauptchakra

2) Der spirituelle Körper mit seinen 5 Ebenen definiert die Anbindung, die Verbindung zu (Schöpfer) der Urquelle allen Seins. Der Mentalkörper und der Gefühlskörper, die in Euch ihren Ursprung in Eurem Gehirn haben, sich jedoch durch den ganzen Körper zieht, haben sich zu einer Einheit verbunden, die aber dennoch keine richtige Einheit darstellt. Sie stellt den Entschluss - Absicht und somit die Vereinigung beider dar. Nun haben beide noch den Weg vor sich, des Austausches bis sie eine wirkliche Einheit darstellen und auch als Einheit fungieren. Dies merkt Ihr daran, dass

einmal der gefühlsmäßige Anteil und einmal der mentale Anteil in Euch durch höhere Information ansteigt und einmal der eine und einmal der andre Teil etwas nicht versteht. Dadurch entsteht eine Zeit lang ein nettes Hin und Her. Einmal erklärt der eine Teil dem anderen, einmal der andere Teil dem anderen etwas, was der jeweils andere Teil nicht versteht. Was früher jeweils in der Auslöschung des anderen Teiles endete, ist nun zu einem harmonischen und geduldvollen Lernen beider Teile geworden. Das wiederum in einer immer größer werdenden Einheit mündet.

Am Ende dieser Entwicklungsebenen im Gefüge des spirituellen Körpers steht der Meister 3, der durch ein etwas anderes Sterben gekennzeichnet ist. Seid Ihr vorher zweimal energetisch gestorben, das Alte verlöschend, das Neue gebärend, so stirbt Ihr nun, wenn auch nur für einen Augenblick den körperlichen Tod. Es ist die entscheidende Minute, in dem im Wachbewusstsein Eure Atmung aussetzt für einen Bruchteil von Sekunden, der körperliche Tod anwesend ist. In dieser kurzen Zeit erkennt Ihr blitzartig den Beobachter in Euch und erkennt, dass nicht der gefühlsmäßige und nicht der mentale Körper Euer wahrhaftig bewusstes Euch darstellt, sondern ein Euch bisher unbekannter Teil. Da dieser Teil bis zu diesem Zeitpunkt einen für Euch unbewussten Teil darstellt, wollen wir Euch diesen Teil als Unterbewusstsein definieren, der durch Botschaften Eures Unterbewusstseins vor allem in Eurem Nachtbewusstsein durch Träume versuchte, sich in Euer Bewusstsein zu bringen. Weil, wir sprechen nicht von diesem Teil des Unterbewusstseins, durch das Ihr oft durch Informationen durch Eure Welt und deren Manipulationen beeinflusst wurdet, dieses Unterbewusstsein, das in Eurer Welt für die Manager Eurer Zeit zur Manipulation dienen, sind wiederum die unbewussten Ebenen des Mental- und Gefühlskörpers. Das erklären wir Euch so: In den vorigen Körpern, dem Mental- und dem Gefühlskörper, haben wir ja schon betrachtet, dass es jeweils 5 Ebenen gibt. Ihr könnt Euch diese Ebenen auch als Speicherplatz vorstellen. Sind diese Ebenen nicht entwickelt, ist der Speicherplatz wohl bezeichnet, aber nicht beschrieben, aber sehr wohl reserviert. Diese

Reservierung wiederum ignorieren gewisse manipulativen Kräfte und befüllen diesen reservierten Speicherplatz mit Informationen, die dort nicht hingehören. Aus diesem Umstand resultiert, dass der Speicherplatz reserviert ist und eine Bespielung für den Inhaber der Reservierung nicht mehr möglich ist. Das ist die Lüge, in der Ihr lebt. Um den Speicherplatz für die eigentlich reservierte Information, muss die ganze nicht autorisierte Fremdinformation wieder gelöscht werden. Und genau diese Löschung vollzieht sich, indem der Mentalkörper und der Gefühlskörper sich zur Einheit verbinden und miteinander durch stetiges Lernen und Verstehen, den ganzen Fremdmist wieder runter löschen. Somit ist der Speicherplatz wieder frei. Somit ist der Platz wieder frei für die ursprüngliche Information, die rauf gehört. Und somit sind wir beim spirituellen Körper, der Euch das eigentliche Programm rauf spielt, das erfordert einen stetigen Austausch zwischen Mental- und Gefühlskörper, denn diese Information ist dann doch ein wenig anders als die, die sich vorher unerlaubt und widerrechtlich und bis dahin unerkannt für Euch, auf diesem reservierten Speicherplatz befand. Somit erlangt Ihr ein noch tieferes Verständnis, wie sich eine materielle Intelligenz entwickelt. Auf dem ganzen Unterbewusstsein der nicht entwickelten Ebenen des Mental- und Gefühlskörpers, sprich Gehirnarealen, befindet sich nur eines, Fremdscheiße, die dort nicht hingehört. Diese Fremdscheiße, die dort nicht hingehört, haben diese Synapsen in ihrem Gehirn vernetzt, die durch die Werte niederer Instinkte, Überleben nur für sich selbst, Macht für sich selbst, Perversitäten, Macht,

Gewinnanhäufung, Eigensinn, Berechnung, Lüge, Unterdrückung, Mitleid und Manipulation, definiert werden. Die stetigen Gedanken führen zu stetigen Handlungen, die wiederum zu Herzenskälte und zu Gefühllosigkeit führen und es nicht mehr möglich macht, Gefühle Anderer wahrzunehmen, somit auch die Unmöglichkeit, Gefühle Anderer zu verarbeiten und somit auch kein positiver Lerneffekt mehr möglich ist. Den einzigen Kick, den diese Persönlichkeiten noch in sich wahrnehmen können und sich dadurch noch irgendwie als lebendig wahrnehmen, ist die

Wahrnehmung, die durch die oben bezeichneten Worte stattfindet. Äußere wie innere Reize, die mit den Werten beginnend mit dem untersten Chakra, Sexualität mit Liebe, Wahrnehmung Gefühle Anderer, Mitgefühl, Herzenswärme, Offenheit, wertschätzende Kommunikation, spirituelle Kreativität, definiert werden, sind für jene innerlich wie äußerlich nicht mehr oder nicht wahrnehmbar. Der spirituelle Körper ist verbunden mit dem Chakra 13, unter dem Namen „der Beobachter" – Energiekörperfarbe: weiß. Am Ende der Ebenen des

spirituellen Körpers öffnet
sich bereits das 14. Chakra
mit dem Namen „der Mensch,
den sich der Schöpfer
erdacht hat“.

Energiekörper 5

Der Mensch, so wie der
Schöpfer ihn sich erdacht hatte

Wer nun über den eigenen
Tellerrand und über den
Tellerrand der ganzen
Menschheit hinausgeblickt hat,
blickt in einen Raum, in dem
Nichts ist, es ist ein Raum,
erfüllt mit Geist ein durchwegs
voller Raum, der aber noch nicht
Gestalt angenommen hat, dieser

Raum ist jederzeit erreichbar für jeden von Euch, er existiert in den Zwischenräumen Eurer Euch bekannten Welt, er existiert aber auch in Euch, in Euren Zwischenräumen. Die inneren Zwischenräume verbinden sich mit den äußeren. Am Ende Eures inneren Weges haben sich die Zwischenräume in Euch verbunden, sind eins geworden, der Geist des neuen, möglichen Erfahrungshorizontes hat in Euch Platz genommen. Ihr, so wie Euch der Schöpfer erdacht hatte, habt in Euch Platz genommen. Vor Euren Augen die Euch bekannte Welt, die Welt der Lüge, die alte Welt, vor Euren geistigen Augen die neue Welt, leerer, doch erfüllt mit dem Geist des Schöpfers. Die alte Welt habt Ihr in Euch der Lüge überführt, Ihr habt sie erkannt. Ihr wandelt auf einem Leichnam der alten Welt. Die alte Welt ist in Euch gestorben und die neue noch nicht geboren. Das Kollektiv Mensch der neuen Welt hat den neuen Geist, den Geist der Wahrheit empfangen, der neue Geist wächst heran im Menschen, reift im Menschen, ruht im Menschen. Die ruhende Absicht des Schöpfers im Menschen ist eine vollendete Magie der Menschwerdung!

Energiekörper 6

Das vereinigte Chakra – mit den Chakren 15 und 16

Einleitung, die Trauerarbeit

Es sind die Flüsse der Tränen, die sich im Meer der Trauer vereinigen. Es sind die Tränen vieler Menschen, die geweint wurden, Tränen über das eigene und Tränen über das Schicksal Anderer. Über den Fluss der Tränen über sein eigenes Schicksal und/oder über das Schicksal von Menschen, denen unser Herz zugeneigt ist, aber auch fremde Menschen betrachtet und gefühlt durch Empathie, über diesen Tränenfluss gelangt man zum Meer der Tränen, zum Meer der Traurigkeit, zum Meer der Hilflosigkeit, der Ausweglosigkeit, zum großen Meer der Trauer, dort angelangt

spiegelt sich Euer Antlitz in seiner Oberfläche und gibt Euch preis, die Trauer dieser Welt, das Elend all der Jahrtausende. Ihr seid Teil des Meeres der Trauer und das Meer der Trauer ist für Euch spürbar, Ihr seid, wenn Ihr am Meer der Trauer angekommen seid, durch Eure Trauer zum Träger der Trauer der ganzen Welt geworden, so wie Eure Trauer durch Trauerarbeit in die Stille Eures Seins zurückgeführt hat, so tut Ihr gleich am Meer der Trauer, der große Friede kehrt in Euch ein, Friede sei mit Euch.
Strahlendes Licht

Und mit deinem Geiste, der gekrönt wird, das vereinigte Chakra mit einem strahlenden

Licht, das sich oberhalb Eures Scheitels befindet, es symbolisiert die Vereinigung Eures höheren mit Eurem niederen Selbst und somit ist die Geburt Eures ursprünglichen Selbstes eingeleitet, Ihr seid vollendet. Eure Vollendung gibt das Signal zur Geburt. Die wenigen Stunden und Tage von Eurer Geburt sind die Stunden des Friedens, die Zeit der letzten Feineinstellungen, die Stunde null, die Zeit Null, die Zeit, in der Ihr schon da seid, ohne da zu sein und wie ein Baby im Bauch der Mutter schon fast zu Ende gereift ist, seid auch Ihr es und doch kündet Euer erster Schrei noch nicht von Eurem Dasein, doch Euer erster

Schrei ist nicht mehr weit, leicht beginnt es schon zu ziehen in Mutters Schoß, das Ziehen das sanft kündet von Eurer nahenden Geburt. Viele Jahre glaubtet Ihr schon in Eurem Geburtsvorgang zu stecken, doch nein, die Geburt ist das leichteste von allem. Eure Werdung, das Entstehen

Eures noch ungeborenen neuen Selbstes und der Tod Eures alten Selbstes, war das Heftigste, das Ihr erlebtet. Es war weder die Dauer des Sterbens Eures alten Selbstes, noch das Werden Eures neuen Selbstes eine kurze Sache, so als auch Eure Geburt nicht ansatzweise diese Heftigkeit haben wird, wie Ihr Euch vorstellen könntet. Noch wird die Entwicklung nach Eurer Geburt diesen langwierigen Verlauf nehmen, den Ihr Euch anhand der Entwicklung eines Menschenkindes vorstellen könntet, vielmehr können wir Euch für die Restzeit der Nullzeit, der Zeit vor Eurer Geburt und Eures ersten „Lebensjahres" nun sagen: erstens lasst es sich entwickeln und zweitens seid bereit für neue Erfahrungen.

Nun kommen wir aber zurück zum Meer der Traurigkeit. Viele von uns werden nun wirklich berührt von so genannten Einzelschicksalen von Menschen, die wir persönlich kennen, zu denen wir so weit in Beziehung stehen, dass uns ihr Schicksal berührt. Für uns sind es Einzelschicksale. Wenn wir die Einzelschicksale, die durch unsere Beziehungen zu anderen, aber auch durch unser eigenes Schicksal sichtbar werden und spürbar werden, umlegen auf die vielen Menschen, die Schicksale erleiden und mit Menschen in Beziehung stehen, die Schicksale erleiden, wird aus dem Bild der Einzelschicksale ein Bild von Schicksal, das in Summe gesehen, viele Menschen erleiden, so teilt sich die Masse der Menschen, eine Anzahl von Schicksalen, die die Masse der Menschheit betrifft und die vorrangig lösungsbedürftig erscheint, und somit verbindet

sich ein Hilfeschrei zu einem
überdimensionalen Hilfeschrei
und ein Fluss der Trauer wird
zum Meer der Trauer.

Matthäus 5, Auszug:
Selig die, die ein neues Herz
haben, denn sie werden den
Schöpfer schauen.

Die Erklärung über Euren
angestammten, deshalb
rechtmäßigen Platz

Eine runde Geschichte braucht
keine Ecken. In der Natur findet
man keine Ecken, weil Energie -
Schwingung sich in
Rundungen zeigt. Die meisten
Menschen sind Mischlinge.

Mischlinge im Sinne Ihres persönlichen Schwingungskörper.

Der Mensch ist ein besonderes Wesen, denn er hat Hände, seine Hände können handeln. Sein Geist [Gehirn] bestimmt seine Handlungen. Der Mensch kann reden und auch das wird von seinem [Geist/Gehirn] bestimmt. (siehe Abbildung 1, zum besseren Verständnis). Mit jedem Puzzleteil wird die Perspektive eine weitere, der Geist drängt danach, das, aus den Puzzleteilen bestehende Bild, zu erkennen. Jedes Puzzleteil reiht sich an das nächste, der Fluss der Entwicklung. Ein Puzzlespiel der

Fragezeichen, eine gelöste Frage bringt die nächsten.

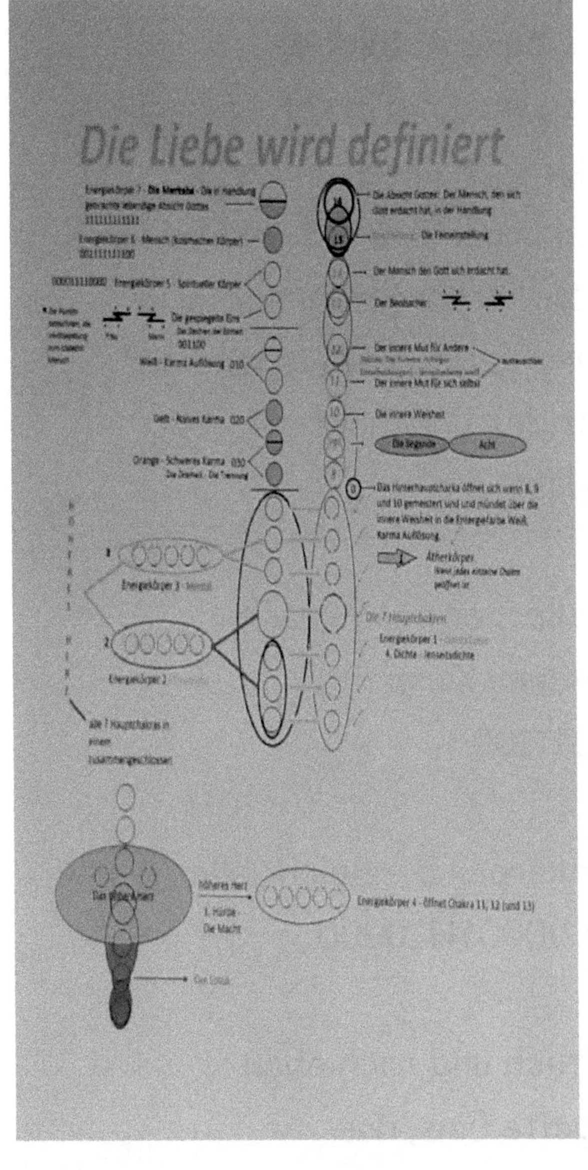

Abbildung 1

Beschreibung Abbildung 1,
die Liebe wird definiert. Linke Seite von oben nach unten:
Energiekörper 7, die Merkaba = das Lichtkörpergefährt, die in Handlung gebrachte, lebendige Absicht des Urschöpfers,
111111111111

Energiekörper 6 - Mensch (kosmischer Körper)
001111111100

Energiekörper 5 - Spiritueller Körper 000011110000

Die seitlich und nach oben gespiegelte Eins, das

Zeichen der Einheit
Weiß - Karma Auflösung 010
Gelb - naives Karma 020
Orange - schweres Karma 030

Höheres Herz
Energiekörper 3 - Mental
Energiekörper 2 - Gefühl

Alle 7 Hauptchakren in einem zusammengeschlossen

Untere Abbildung:
Höheres Herz - 1. Hürde - die Macht - Energiekörper 4 - öffnet Chakra 11, 12, (und 13)

Der Lotus

Rechte Seite, von oben nach unten:

16 Die Absicht des Urschöpfers, der Mensch, den sich der Urschöpfer erdacht hat, in der Handlung

15 Die Heilung - die Feineinstimmung
14 Der Mensch, den sich der Urschöpfer erdacht hat
13 Der Beobachter
12 Der innere Mut für andere
11 Der innere Mut für sich selbst
Austauschbare Hürde, die Summe der richtigen Entscheidungen, Jenseitsebene weiß,
10 Die innere Weisheit
9 Die liegende Acht 8 Das Hinterhauptchakra öffnet sich, wenn 8, 9 und 10 gemeistert sind

und mündet über die innere Weisheit in die Energiefarbe Weiß.
Karmaauflösung

Die 7 Hauptchakren,
Energiekörper 1
Ätherkörper
4. Dichte - Jenseitsdichte Auch seine Ohren und Augen* (siehe Geschichten von Jesus*) unterliegen diesem Prinzip und das alles wiederum einem höheren oder einem niederen Prinzip. Sein Energiekörper bestimmt sein Weltbild und sein Weltbild seinen Energiekörper, sowie seine Meinung. Deshalb gibt es so viele Gruppen, die Verschiedenes sehen, bis hinzusehen wollen. Die

Kopfbrett-Verschläge. Somit wären wir schon beim Turmbau von Babel. Und bei der Sprachverwirrung, wo der eine nicht mehr den anderen verstand. Dabei geht es gar nicht wirklich um die mündliche Sprache, sondern um die Energiebildsprache. Menschen, die sich denselben Energie-Bildstatus teilen, verstehen sich auch ohne Worte, nehmen dasselbe wahr und setzen auch ähnliche oder gleiche Handlungen. Darüber hinaus können auch Fremdkonstrukte, sprich Ideologien, eine Masse von Menschen zur gleichen Sicht der Dinge und zu ähnlichen gleichen Handlungen bringen. Das ist ein künstlich erzeugtes

Massenbewusstsein. Die größte Tragkraft zurzeit hat wohl die Ideologie der islamischen Religion* und darüber hinaus noch Massen wirksamer, das kapitalistische System und die nicht nur auf Amerika beschränkte Ideologie des amerikanischen Traums* und der europäische Klimawahn.

Die energetische Betrachtung von Geld

Alles, was Geld erzeugt, wird entworfen, denn das hält´s am Laufen. Denn Alles, was Geld erzeugt, erzeugt Energie und diese Energie steht stellvertretend für

Lebensenergie, es bewegt sich, es läuft. Es geht nicht um das, was die Bewegung erzeugt, es geht nicht darum, von was das Wasserrad angetrieben wird, sondern darum, dass es angetrieben wird. Diese Energie muss am Laufen gehalten werden, denn das erzeugt eine Schwingung, beschrieben mit einem Windrad, das erzeugt auch eine Schwingung, eine veränderte Umgebungsschwingung. Und diese veränderte Schwingung verdrängt die natürliche Umgebungs-schwingung. Und weil diese künstlich erzeugte Energieschwingung die natürliche Schwingung verdrängt, muss diese künstliche Schwingung am Dauerlaufen gehalten werden. Das bestimmt den Lauf des Menschen, weil er dieser Frequenz nachgeht und so die natürliche Frequenz in die Vergessenheit gerät. Was auch immer dahinter/dabei kaputt geht, zerstört wird. Hauptsache das Wasserrad bleibt nicht stehen. Denn so wie beim Windrad, sobald es steht, tritt an dem Platz der veränderten Schwingung wieder die natürliche. Und diese natürliche Umgebungsschwingung wiederum tritt in Ihrem vollen Ausmaß wieder an Ihren angestammten, rechtmäßigen Platz. So befinden sich Menschen in einem künstlichen Milieu immer wie in einer Blase (= Gefängniszelle). Und diese natürliche Schwingung geht wiederum in Resonanz mit anderen Schwingungskörpern gleicher Güte. Es liegt in der Natur der Sache, dass Natürliches, Künstliches abstößt und versucht, durch Be- und Verarbeitung wieder in einen natürlichen Stoff zu verwandeln. Und deshalb wird jede Ideologie mit einem Funken Wahrheit bestückt. Ansonsten würde das natürliche Abwehrsystem eines natürlichen Wesens reagieren. Und umso mehr der Mensch von seinem natürlichen Wesen entfernt ist, umso schlaffer wird sein Abwehrsystem. Siehe anhand des Körpers erklärt, durch die Blutgehirnschranke. Somit wird das Realitätsbild dessen Erschaffung erst möglich ist, durch die schlaffe Abwehr der Masse immer pervertierter, irrer und Gott abgewandter. Es darf nur eines nicht passieren, dass die Masse dem wirklichen Zustand von den Baumeistern samt Haianhang verfällt, denn wer soll dann die Brut noch ernähren und bedienen.

Denn für das natürliche Milieu ist alles künstlich, was tot und nicht aufgrund von göttlicher Lebensenergie existiert, und muss somit wieder der lebendigen Schwingung, der lebendigen Stofflichkeit,

zugeführt werden. Und so kann man auch das ICH BIN verstehen, Alles, was nicht aufgrund der göttlichen Schwingung mit der göttlichen Matrix, dem natürlichen Programm existiert, gehört zur künstlichen Matrix. Das ICH BIN ist sich bewusst des Unterschiedes. Das ICH BIN ist das SEIN. Das ICH BIN braucht keinen Namen. Verglichen mit einem Baum, der nicht mal weiß, dass er Baum heißt, das ICH BIN ist ein durchgehender Ton, der immer war, ist, und immer sein wird. Unsere nieder schwingenden
Führer brauchen aus diesem Grunde höher Schwingende aber dennoch verirrte Wesen, um mit

deren Unterstützung überhaupt
etwas in das SEIN zu bringen.
Das soll Euch auch erklären,
wieso auf Fahnen und überall das
Pentagramm ist. Das Pentagramm
ist überhaupt so ein tolles
Symbol, nicht nur, dass die
energetische Unterstützung
aufzeigt, wodurch diese nieder
schwingenden Konstrukte
stabilisiert in Realität gehalten
werden, wird so wie der Wind
weht, oder wie die Fahne vom
Fahnenmast baumelt, zeigt es
Euch genau, um welches Prinzip
es eigentlich geht. Auf Internet,
Youtube, Bildern, massenhaft zu
sehen. Meist schön und
unschuldig platziert, denn wer
kann schon was, für die
Hängerichtung der Fahne. Siehe

da, was hüpft einen da am laufenden Band an? Das zeigt und beinhaltet alles. In diesem Fall ein Zeichen, dass man umdrehen kann und dann heißt es etwas anderes oder in diesem Fall das Gegenteil. Ist nur einem dienlich. Das Gegenteil und die Absicht, das Wahre doch zeigen zu wollen und dennoch zu verstecken. Ein positives Symbol ist immer eindeutig, und nie zweideutig.

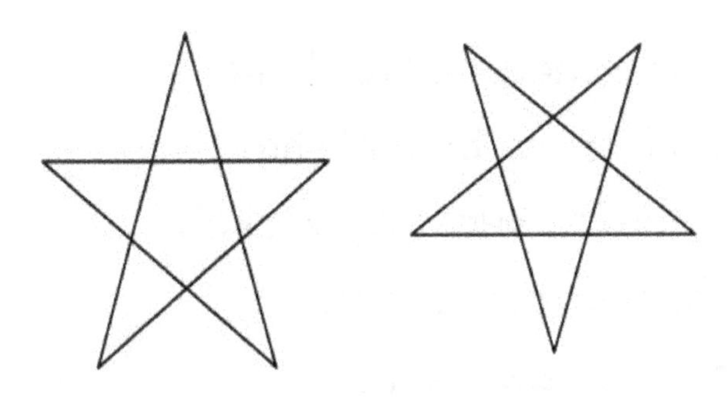

(Pentagramme aus Wikipedia)

Deshalb braucht das parasitäre Königtum Unterstützung von natürlicher Schwingung. Auch die Fruchtbarkeit und die Zeugungsfähigkeit nehmen bei sich entfernenden Schwingungen von der göttlichen Matrix, ab. Deshalb brauchen gewisse Familienzweige, in welcher Hierarchiehöhe auch immer, genetische Auffrischung, laufend durch alle Bevölkerungsschichten. Der

Zeugungspartner, dessen Linie der Auffrischung bedarf, hat eine wahrhafte Kunst entwickelt, die Nachkommen in Ihren energetischen Bereich zu bringen.

Denn das, was sein Geist/Gehirn erst fähig ist aufzunehmen, lässt ihn sehen, was er sieht, hören was er hört und im weiteren Verlauf sprechen, was er spricht und erschaffen was er erschafft. Nicht nur seine Hände erschaffen durch seinen Geist/Gehirn. Nein auch sein Geist/Gehirn erschafft Strukturen, die fähig sind, in die Realität zu greifen und Gedankengut kann zur Massenware werden, nicht nur der Stuhl im Möbelgeschäft. Gedankengut kann unter anderem Religionen und politische Ideologien erzeugen.

Die Erde ist dem Menschen in der Entwicklung voraus. Dabei sollte sich der Mensch schon lange bewusst mit der Erde getroffen haben. So liegt alles in der Warteschleife. Dieser Treffpunkt scheint in der Unbestimmtheit zu liegen. Dabei geht es gar nicht darum in Lehmhütten zu hausen und ums Feuer zu tanzen, um den Treffpunkt zeitlich ergreifen zu können, sondern darum, dass der Mensch, das natürliche Wesen Mensch, energetisch auf seinen zwei Beinen geerdet steht. Dann ist der Weg ein gemeinsamer und dieser gemeinsame lässt auch die Erde in eine nächsthöhere Existenzform ziehen. Und wiederum zieht die Erde die Menschen, die mit ihr verbunden sind in diese. Jede nächsthöhere Existenz lässt Unpassendes zurück. Würde die Erde jetzt in eine nächsthöhere Existenz wechseln würde sie den Menschen in seiner jetzigen nicht passenden Schwingungsform zurücklassen müssen. Dieser Umstand kann nicht nur aus einer Perspektive betrachtet werden. Es gibt die Betrachtung, dass es die Erde in einer nächsthöheren Existenz schon gibt. In dieser nächsthöheren Existenz definiert sich die Erde anders.

Abläufe, aber auch Existenzformen sind etwas anders. Um es greifbarer zu machen, die natürlichen Programme sind anders. Und trotzdem ist die Erde auch in der jetzigen Form die größte Erinnerung an das Paradies und kann Euch so bei Eurem Schwingungsaufbau unterstützen. Es geht darum sich zu erinnern. Neben einem von Herzen lachenden Menschen und somit förmlich strahlenden, glücklichen Menschen. Oder darum, einen Blick in die nächsthöhere Existenz werfen zu können. Beides hat die Fähigkeit Euer wahres Wesen zu erden. Es braucht keine Tiergruppen mehr, die sich schnell vermehren müssen, weil sie von anderen gefressen werden. <u>Es wird nicht mehr so</u>

oft geboren*. Es wird nicht mehr gestorben, sondern gegangen. Gegangen in die nächsthöhere Existenz. In dieser wiederum noch höheren Existenz wird nicht mehr geboren. Alles ist auf die Verkleinerung ausgerichtet. Während sich die Materie verringert, vergrößert sich der geistige Raum. Und in diesem Kontext geht es weiter bis hin zu einem kleinen Punkt. In einem Meer der Vergeistigung, während die feste Materie in einen kleinen Punkt komprimiert. Hat sie sich fertig komprimiert dann implodiert dieser Punkt. Nach innen nach außen, beides? Es gibt nun somit kein innen und außen. Die Esoterik wirft da gerne Ihre Betrachtung darauf, deshalb wird gerne gesagt, dass Alles, was den einzelnen Menschen im außen begegnet ein

Teil von ihm und deshalb von ihm ausgelöst ist. So wie innen so außen (Spiegel).

Das trifft auf diese jetzige Existenzform nicht zu. Das trifft nur zu, wenn dir dieselbe Schwingungsgüte gegenübersteht. Alles andere ist <u>nicht</u> deine Schwingung, somit auch nicht dein Spiegel. Die Menschen sind in der jetzigen frequenten Existenzform abgeschlossene Einzelsysteme, die sich in Ihrer frequenten Einzelform ähneln können. Deshalb ist dieser Status durch ein ständiges Kommen und Gehen gekennzeichnet, aber auch durch ein künstliches Festgehalten werden durch Glaubensrichtungen und dergleichen. Die Menschen mit ähnlichen Energiebildern teilen sich Lebensabschnitte, ein Stehenbleiben einer Partei hat auch meist die Trennung zur Folge. Infolge gibt es dann andere Weggefährten. Erst ab einer gewissen Schwingungsform erfährt das innere System eine wirkliche Öffnung und richtet sich gemäß der kollektiven, menschlich göttlichen Einheit aus. Ab diesem Zeitpunkt gibt es keine wirkliche Trennung mehr, weil die eigene Fülle, die Beziehung zum anderen Schwingungskörper widerspiegelt in seiner richtigen Form.

Für höhere Schwingungsformen in der jetzigen Existenz ist es für den eigenen Turbo der

Entwicklung wohl wichtiger zu erkennen, was oder wer man nicht ist, denn das, was man ist, findet viel seltener den Spiegel im außen. Was man aber nach getätigten Schritten sehen kann, ist das, was man war, zusätzlich zu dem, was man nicht ist. So kann man auch seine möglichen Zuständigkeiten einteilen, wenn man denn eine haben möchte und darum gebeten wird. Und so verhält es sich auch mit der falschen Annahme von Karma. * Auch diese Betrachtungen sind oft falsch, gewünscht falsch. Und dieses gewünschte Falsche hat die größte Möglichkeit in der Realität Fuß zu fassen. Weil die bestehende Realität aus Falschem besteht. Das Falsche

können wir <u>symbolisch</u>* mit einem + (Kreuz) kennzeichnen. So ist die in der Öffentlichkeit kursierende Betrachtung über Karma falsch, somit wird es von der System-Firewall durchgewunken, auch wenn es nicht der derzeitigen Systemideologie entspricht und es vom System eigentlich nicht gewünscht ist. Es stellt dennoch ein Auffangbecken für jene dar, bei denen die allgemeine Systemideologie nicht mehr so recht greifen mag.
Augenscheinlich wird dieses Auffangbecken bekämpft und wenn es vom falschen, schlimmen, bösen System bekämpft wird, muss es doch das richtige, das wahre sein,

mitnichten! Solche Konstrukte wollen wir mit einem X bezeichnen, also falsch-falsch. Und dieses falsch-falsch ist der Winkel L und der Winkel ist das Maß. Es wird Maß genommen und gebaut. Das + zeigt uns das bestehende falsche Bauwerk, X zeigt uns immer eine Komponente des zukünftigen Bauwerkes, ein Bestandteil der zukünftigen Weltordnung. Der Winkel: Es wird Maß genommen. Maß genommen wird an den Ausbrechenden des Gefängnisses, um das Gefängnis wieder Ausbruch sicher zu machen. Aber nicht nur, es gibt mehrere Indikatoren für das Maß. *

Es wird das Richtige, was eben die Ausbruch Willigen anzieht, zersetzt, mit Falschem unterwandert, ob nun infotechnisch oder personell. Und so entsteht ein neuer Ziegel für den Baumeister. Der Baumeister ist an der Macht und hat nicht vor, diese abzugeben. Also baut der Baumeister die neue Weltordnung. Bis auch diese augenscheinlich nicht mehr hält, was sie verspricht, dann wird wieder Maß genommen. Die Fahrt auf der Spirale nach unten wird einige Meter weitergeführt, bis das Schloss für die Masse wieder erfolgreicher Klick macht, dann gehts wieder rein in einen neuen, schönen

Wiederholungskreis und ewig grüßt das Murmeltier. Neuer Dauerwiederholungsfilm ab. Und hat sich jetzt etwas getan nach dieser Umwälzung? Der neue Dauerwiederholungsfilm hat zu den alten noch einige neue Komponente dazu bekommen. Die Rezeptur des Mörtels wurde verbessert und weiter gehts mit dem Weltenkarren. Der Selbstläufer Welt ist wieder auf Kurs gebracht. Und was da so drinnen ist in diesem Weltenkarren. Die Verwirrung ist perfekt. Und wer verwirrt ist sucht nach einem Boden zum Stehen. Nach irgendwas, nach irgendwem, wo er sich festhalten kann, um wieder das

Gefühl der Stabilität zu erhalten. Und da sind sie schon da mit Ihren Angeboten. Sie zeigen Euch wie Ihr tun sollt, was Ihr denken sollt, um wieder Ordnung ins Chaos zu bringen. Ihr vertraut darauf, dass andere es besser wissen. Ihr schreit nach Papa Staat und Mama Kirche. Ihr schreit nach Jenen, die es wieder richten. Ein guter Spruch: Man macht den Bock zum Gärtner. Dabei wäre der wichtigste und richtigste Weg Euch selbst den Gärtnerjob zu geben, Eure eigene Weisheit und das Vertrauen zu Euch selbst, wachsam zu sein, Euch nicht mehr unbewusst treiben zu lassen wie eine Schafherde von einer Stallung zur nächsten.

Verwirrung kann nicht nur ein Sklaven-erhaltungsindikator sein, sondern auch ein Entwicklungsindikator. Es gibt zwei Auslöser für Verwirrung. Bei beidem wird Euch der Boden unter den Füßen weggezogen. Es ist der seelische Impuls Euch zu entwickeln oder der Umbau der Realität durch den Baumeister. Eine Krise ist immer auch eine Gelegenheit zur Entwicklung. Welche Verwirrung auch immer, der Weg, sich solo uno an sich selbst festzuhalten, setzt Euch auf den richtigen und schönsten Boden. Das setzt ein Loslassen voraus. Wenn Ihr beginnt, die falschen Aspekte der Welt zu erkennen, beginnt das Loslassen. Der Boden unter Euren Füßen

löst sich auf und sehnt sich nach festem Grund. So ein Prozess kann Angst machen. Der Wunsch Eurer Seele diesen Weg zu Eurer Vervollständigung zu gehen, lässt ihn Euch auch gehen und lässt ihn Euch auch durchhalten. Er lässt Euch festhalten an
Euch selbst. Auch wenn Euch die Angst manchmal nach Strohhalmen greifen lässt, die allesamt nicht halten und das Ganze zum Stocken bringen. Ab einem gewissen Punkt gibt es kein Zurück mehr nur mehr ein Weiter. Schnell, schnell wünschen sich da Manche, dabei überfordert sie die Beschleunigung noch mehr als sie es ja schon sind. So kann sich

der scheinbar kürzere und schnellere Weg auch noch in den längeren verwandeln. Der Weg zurück zeigt Euch, dass es keinen gibt. Weil der Weg hin zu einer größeren Ordnung nie wieder zu einer „kleineren Ordnung" werden kann. Ihr habt den Boden der größeren Ordnung noch nicht erreicht. So steckt Ihr mittendrin im Nirgendwo. Ok, zurück geht nicht, nach vor, der scheinbar schnellere Weg, kann ja ziemlich heftig sein. Und dann kommt die Erleichterung, der Teil, an dem man es sich nicht noch zusätzlich selbst schwer machen sollte. Dieser Prozess ist wie eine Geburt eines Kindes. Da muss jeder für sich

und selbst durch. Ihr seid die Gebärende und das
Kind und die Geburtswehen, der Weg dorthin. Eure Erfahrungen, die Ahas und Erkenntnisse.
Manche sehen es auch als Reinkarnation im Leben. Ein Sterben des Alten und ein wieder Hineingeboren-Werden in Euren eigenen Körper. Das bedingt sich, weil Ihr das Kind und die Gebärende seid.
Reinkarnation im Leben ist der Punkt auf dem i. Die bewusste Vollendung Eurer menschlichen Seele.
Wenn Ihr es mit der Brille der Evolution betrachten möchtet, dann ist Mensch drin, wo körperlich ja Mensch draufsteht. Würde körperlich

nicht Mensch draufstehen, müsste jedoch für die bewusste Existenz in einer höheren Ordnung, die manche als höhere Dimension bezeichnen, dennoch Mensch drinnen sein. Und so wird diesem Prinzip auch nur eine allgemein gültige und tragfähige Fläche der Basis gegeben.

Somit ist diese Basis für jeden ausbaufähig sowie reduzierbar auf sein Energiebild und bildet somit für jeden einen tragbaren Boden im Sinne seiner Erfahrungen. Deshalb reduziert, weil diese Reduzierung zwar einen Boden darstellt, den Ihr aber dann dennoch erhöhen solltet auf den allgemein gültigen menschlichen Boden, der der

Träger ist für ein Energiekollektiv der höheren Ordnung.

Somit ist das Prinzip ANNA verkleinerbar auf die Information, die das schwächste Energiebild zeigt auf dem Weg hin zur Vollendung in die höhere Ordnung und bildet auch für diese einen tragbaren Boden. Und kann von diesem tragbaren Boden weitergehen. Und über Impulse, Erfahrungen und eigene anwachsende Weisheit diesen Prozess erleben durch und dadurch mit mehr Erdung eine sanftere Geburt erleben. Das ist das Stückchen, das ich geben möchte, weil ich es durch meine Erfahrungen geben kann. Weil,

was ist unterstützend bei der Geburt? Eine Hebamme. Viele Informationen, die im Außen herumschwirren sind von gerade Gebärenden und von gerade Geborenen. Auch das kann Euch helfen. Aber auch Hebammen. Eine Geburt kann nicht nur 10 Monate dauern, sondern Jahre und Jahrzehnte. Somit muss der Weg vom Kind zum Pubertierenden nicht diese Jahre brauchen, die bekannt sind, dies kann wenige Wochen, Monate, wenige Jahre nach der Geburt sein.
Und viele von diesen bringen sich mit einem Stückchen ein um den anderen, die am Weg sind, Hilfe zukommen zu lassen und Ihren Weg leichter gestalten zu

können, als der eigene war. Denn Hilfe kommt immer, in welcher Form auch immer sie kommt.
Denn Real ist, was Real ist.
Somit wären wir beim Boden der Esoterikszene. Die geistige Welt*.
Erstens kann sowieso nur jeder mit dieser geistigen Welt in Resonanz-Kontakt sein, der seinem Resonanz-/Energiekörper entspricht oder nächsthöheren oder unteren. Ihr channelt Euch im Grunde genommen selbst. Sollten hier wahrhaftig geistige Kontakte mit anderen Wesenheiten stattfinden, dann unterliegt das der eigenen Beurteilung und ist im Endeffekt zum Loslassen, weil real ist, was real ist. Und

deshalb ist das Prinzip ANNA
auch reduzierbar auf den
kleinsten gemeinsamen Nenner.
Dazu braucht es dauerhaft keine
Kontakte zu Wesen aus anderen
Dimensionen, keine Aussicht auf
ein ewiges Leben als Antrieb.
Auch wenn es so ist, dass es
nach dem Tod nichts mehr gibt,
dass alles, was wir geglaubt und
erhofft haben, nur
Illusionsblasen waren, so seid
Ihr doch zu Hause angekommen,
wenn Euer Antrieb kein
belohnendes Ziel mehr braucht.
Wenn Euer Herz selbstfühlend
und selbsttragend so stark ist,
dass es nur den Wunsch hat bei
Euch zu bleiben, in der Form
etwas da gelassen zu haben, dass
die, die noch da sind, in einer

schöneren, menschlicheren und auch lebendigeren Realität leben können, erkennend dass Selbstliebe die Liebe zum anderen beinhaltet. Somit sind wir beim nächsten Boom der Esoterikszene. Der selbstlosen Liebe, der universellen Liebe, dabei sollten wir das Thema Ego* nicht unbeschaut lassen. Wie schon erwähnt beinhaltet die Selbstliebe die Liebe zum anderen, die Überordnung ist aber die Selbstliebe. Nur wenn Ihr in der Selbstliebe seid, erreicht die Liebe auch andere, wenn jener auch in der Selbstliebe ist. Da sitzt auch die Empathie, das Mitgefühl und die Erkenntnis über Gut und Böse. Ihr könnt auch einen anderen

lieben, ohne Selbstliebe kann das meist in den Irrweg der einseitigen Liebe führen. Der andere kann Euch antun, was er will, Ihr liebt. Sicher diese Liebe eröffnet Euch auch eine Sicht zu der andere gar nicht fähig sind, aber die wirkliche Sicht, den Durchblick, die
Hinsicht eröffnet Euch nur die Selbstliebe und diese Selbstliebe bedarf auch keiner Bestätigung und auch kein Lob von außen. Die Eigenliebe ist Euer energetischer Selbstversorger und in keinster Weise abhängig von anderen Energiequellen und sie steht in Verbindung mit dem natürlichen Energiefeld der Erde. Weiters ist sie ein Schlüssel zur

göttlichen Matrix und gehört somit zum Countdown, abzählbar der künstlichen Matrix. Dabei sollte die Kunst geübt werden, wirklich bei sich selbst zu bleiben. In Selbstliebe bei sich selbst zu bleiben, macht den, falls noch sandigen, lockeren Boden unter Euren Füßen, härter und stabiler. Wie erklärt man nun die Selbstliebe. Wie würde man einen Bienenstich erklären. Bei einem Menschen, der selber schon einen Bienenstich erlebt hat, gar nicht, es ist ein Verstehen da und gut ist es, selbe Ebene. Übrigens ein ganz natürliches, soziales Bedürfnis des Menschen auf derselben Ebene zu sein, denn da wird die Einheit spürbar, aber leider, dieses Bedürfnis wird negativ ausgenutzt und wird gern benutzt, um Euch von Euch selbst wegzuziehen, zu entfernen. Gut, wenn dein Gegenüber noch keine Biene gestochen hat, könnte man nach einer Geschichte suchen, um es ihm näher zu bringen. Dabei, es gibt schon so viele Geschichten, um anderen etwas näher zu bringen. Eine körperliche Ebene zu übermitteln ist sowieso schwer. Eine geistige etwas leichter, weil es die körperliche Empfindung nicht braucht. Was es aber braucht, ist die Empfindungsfähigkeit anderer Ebenen. Die sind aber bei anderen oftmals so sehr reduziert, dass eine

Übermittlung nicht (mehr) möglich ist. Das geht leider hin bis zur Unumkehrbarkeit, da nutzen nicht mal mehr Erfahrungen etwas. Aber auch solche Unumkehrbarkeiten muss man loslassen können. Viele Menschen stellen Beziehungen im außen her. Dabei würde die eigene Fülle erstmals wahrgenommen, einen ganz anderen Weg aufzeigen. Die Fülle in Euch seid natürlich Ihr und wenn diese Fülle zu 100 % Ihren Raum eingenommen hat, dann fühlt Ihr Euch erst richtig wohl in Euch. Aber auch in den Möglichkeiten der Beziehung zu anderen. Seid Ihr bei Euch, haltet nur an Euch fest verankert, dann geschieht

Beziehungsherstellung von innen, d.h. übersetzt, es sind praktisch Teile von Euch selbst in der kollektiven Einheit, gemäß der höheren Ordnung oder umgekehrt betrachtet, Ihr ein Teil von Anderen. Solange Ihr Euren eigenen inneren Raum nicht wirklich zur Gänze ausfüllt, werden immer wieder Mangelmeldungen ausgeworfen, das wiederum freut nur einen, die Wirtschaft und andere niedere Konstrukte. Und genau mit diesem Umstand arbeiten sie auch. Masche zwei der Wirtschaft ist es, bei Euch einen Mangel aufzurufen, auch wenn Ihr aktuell selbst gar keinen auswerft. So seid Ihr einem Bad von sich wiederholenden

Mangelaufrufen ausgesetzt. Da einen Stopp hineinzubringen oder ein wirkliches Brauchen zu definieren ist fast bis gar nicht möglich. Einen Stopp gibt Manchem die eigene Geldtasche. In dieser Thematik sind jetzt nicht jene genannt, die unter einem wirklichen materiellen Versorgungsmangel leiden. Dieses Thema fügt sich in einem anderen Kapitel ein. Was ist aber nun diese Leere? Diese Leere bezeugt eine unvollendete Spannung, deshalb eine Unterspannung, aufgrund Eures reduzierten Energiekörpers. So versucht Ihr die Eigenspannung zu erhöhen. Aber es ist Euch nicht möglich, diese Leere zu

füllen, sie verpufft wieder zur
Freude anderer.
Nehmt mal an, Ihr seid ein Glas
und dieses Glas ist ein Apfelsaft,
0,5 Liter. Der Apfelsaft seid Ihr,
das Glas natürlich auch. Alles, was
nicht Ihr in Eurer natürlichen
Form seid, hält nicht, hat keinen
Bestand, ohne Nachschub
sozusagen kein Anschub.
Bekommt Ihr
Apfelsaft durch Euch selbst,
gut, durch andere ist es auch
möglich, auch harmlos, wenn ein
Apfelsaftglas freiwillig was
abgibt, nicht mehr harmlos, wenn
Apfelsaft geklaut wird. Weil,
freiwillig wird es sofort durch
die Möglichkeit der
Eigenenergieversorgung,
unmerklich eines Mangels, im

Augenblick wieder vervollständigt. Dieser Ablauf unterliegt der Information (Lebensenergie) der Möglichkeit der Verdoppelung. Beim Raub geht es um die Lebensenergie und bis zu einem bestimmten Energiebild geht es in die Schwächung des Anderen, bis in die Körperebene. Nichts anders als Mord auf Raten. Geht die Schwächung in die Körperebene, können sich Krankheiten manifestieren.

Die von der Urquelle Abgefallenen beziehen logischerweise auch keine Energie von der Urquelle. Also müssten sie eher krank sein, schneller sterben. Somit sind wir bei der nächsten Frage: Wieso sterben die feinsten Menschen so früh und die ekelhaftesten werden steinalt? Weil diese aufgrund Ihres Abfalls Parasitenwesen sind. Im kleinen, wie im großen Kreis. So geht es ihnen gut und die von Euch besagten feinen Menschen sind krank, werden krank und sterben früher. Und dieses parasitäre System befindet sich auf der Erde. Verschiedenste kompakte innere und äußere Strukturen sollen als Werkzeug für Ihr parasitäres Nichtsein im Sinne der göttlichen Matrix, dienen. Das nennt man dann die künstliche Matrix der Welt, Illusion, sprich Satan. Deshalb gehören in diesen Kontext auch

Satanismus, satanische Agenda, satanische Weltordnung. Satanismus hat viele Gesichter, weil Satanismus nichts anderes ist als die veränderte, meist pervertierte Form der natürlichen, menschlichen Ebene. Die, die diese Strukturen bewusst inszenieren, sind Satanisten, die Bauherren dieser Welt.

Tod, die göttliche Anbindung jener, die gehen, wird immer reduziert, somit auch derer, die wiederkommen. Die wirklichen Größen der Niederfrequenz ziehen es vor, in der Astralebene zu bleiben, um ihren „Punkt" nicht zu verlieren. Der Punkt der vielgepriesene, göttliche Funke.

Für sie kein Problem, gibt ja genug Körper, die sie besetzen können. Dabei braucht man gar keine wirkliche
Verbindung mehr zur niederen Astralwelt, denn die niederfrequente Welt gibt der niederen Astralwelt die Hand, somit ist das Erscheinen der niederen Götter möglich. Und so wie es aussieht, wird fleißig am niederen Milieu gearbeitet, dass es bald für die Allgemeinheit möglich ist, noch niederere Fratzen zu sehen. Unsere gut beschulten, niederfrequenten, Eliten schreien, was für ein rückständiges, archaisches „Denken". Wie nennt Ihr Jene doch gleich, ah, ja, Aluhutträger. Die lieben Eliten, die im selben

Atemzug für Religionsfreiheit
der eben archaischen,
rückständigen Religionen, massiv
einstehen. Es handelt sich
besser bezeichnet als humanoide
Wesen mit zuerst künstlicher
Füllung, dann mit absolut vom
Schöpfer, wer es lieber als
Urquelle bezeichnet, abgefallene
Füllung. Somit auch keine Pflanze
darstellt, die vom Regen
gegossen wird und von
Fremdenergie abhängig ist.
Wobei der Raub dieser
Fremdenergie nie zur
Möglichkeit benutzt wird, sein
eigenes Energiebild zu erhöhen
und im
Weiteren der Raub von
Fremdenergie dazu führt,

Fremdenergie in der niederen Struktur nicht mehr dauerhaft halten zu können. Sprich, wenn das niedere Energiebild ins Körperliche greift. Trotzdem, jeder Apfelsaft kommt von einer anderen Apfelsaftsorte. Nur volle Gläser teilen sich untereinander eine endgültige, gemeinsame Sorte. So muss vorher die fremde Apfelsaftsorte immer in die eigene umgewandelt werden, schafft man das nicht, verpufft dieser Apfelsaft, wobei eben bei richtigen Niederfrequenzen der Apfelsaft sowieso nicht lange hält, weil sich da erst gar kein eigener Apfelsaft im Glas befindet und Nachschub ist angesagt. Jeder Mensch wäre ein

Apfelsaftgefäß. Manche haben da Milch drin, andere Bier, was auch immer. Diese Gefäße bedürfen immer energetischer Unterstützung, so wie ein Blumenstock am Fensterbrett. Die Blume in der Wiese wird durch den Regen gegossen, die Blume am Fensterbrett müsst Ihr gießen.

Auch wenn dieser Vergleich nicht wirklich stimmig ist, er kommt zumindest ein wenig in die Nähe. So wie eben viele Vergleiche und Geschichten nur in die Nähe kommen. Deswegen können Fremderfahrungen, Fremdinformationen immer nur einen Impuls darstellen, ein Impuls sein, damit Ihr das AHA, das Finden, das Erkennen in

Eurem eigenen Energiesystem vollziehen könnt, erfährt. Und, dass diese energetischen Impulse eben in Form von Informationen, aber auch Energie mit noch nicht offenbarten Informationen, die in Eurem eigenen System entpackt werden, löst ein Aha, ein Verstehen, ein Begreifen aus. Dann hat das einen Energieanstieg, gleich einer Veränderung Eures Energiebildes, zur Folge. Somit habt Ihr die fremde Apfelsaftsorte in Eure eigene transformiert. Und auch dieser Umstand wird von der anderen Seite destruktiv benutzt. Und so ist es möglich, einen Energiekörper zu senken. Fatal wird diese Geschichte erst, wenn das fremd befüllte Apfelsaftglas so fremdbefüllt ist, dass es in die Körperlichkeit geht. Das verankert das Ganze zur Unumkehrbarkeit. Da „strahlt“ dann, im negativen Sinne, nicht nur der Fremd- sprich niederfrequente Inhalt von innen nach außen, sondern das Glas mit. Und das ist dann ein künstliches Wesen der niederen Ordnung. Der Baumeister lässt grüßen. Was ist aber ein Wesen der niederen Ordnung. Das sind von der Struktur her jene Entitäten, die glauben, Schöpfer spielen zu müssen. Die glauben über dem Schöpfer zu stehen. Es sind Jene, die nicht begreifen wollen und mit diesem Energiekörper

auch nicht mehr können, da es nichts gibt außer dem Schöpfer, der Urquelle.
Nun, ich werde Euch erklären, welche Entitäten die Welt in ihrer Form erschaffen und regieren. So wie ich Euch verständlich machen werde, was Mensch ist. So gibt es genau betrachtend zwei verschiedene Rassen und Zwischenformen. Die Entitäten der Welt und die Menschen der Erde. Die Menschen, so wie sie von der Urquelle vor Äonen schon erdacht wurden. Die Erde zu besiedeln war den Menschen bis heute untersagt. Sie leben in einem riesigen Gefängnis, geführt von jenen Entitäten, die einen Ausbruch unmöglich

machten und machen. Welche Staaten ihr Euch auch anschauen werdet, außerhalb gibt es nichts. Wieso aber Gefängnis, es wird nicht nur verhindert, dass sich der Mensch nach innen entfaltet und sich selbst behält oder wiederfindet, nein, auch dass sein Inneres, Werke im Außen schafft. Das Einzige, was geduldet und angestrebt ist, ist die Versklavung der Kreativität für die Wirtschaft, vorgegebene und angestrebte Werke sind erlaubt, alles andere verboten und bekämpft.

Da mag man doch meinen, dass jeder Mensch eine Fähigkeit hat, doch wissen wir gar nicht welche Fähigkeiten und Möglichkeiten in den Vielen steckt. Denn die

Wirtschaft und Wissenschaft gibt vor, was zu werden, zu denken und zu entwickeln ist. Es wird vorgegeben, was den äußeren und inneren Raum der Gesellschaft betreten darf und was nicht und da sind wir auch schon bei den öffentlichen Medien. Unschwer zu erkennen, dass das System Hand in Hand greift. Doch der einzelne Geist wäre noch frei, aber diesen zu stören, zu begrenzen, zu blockieren, führt uns zur Manipulation der Massen. Kommen wir zu den Fäden ziehenden Arbeitslosen zurück, denn die anderen sind kein Problem, sie sind ein Symptom, nicht die Ursache. Aber, weil wir gerade dabei sind, könnten wir mit den vielen verhungernden oder verarmten Arbeitslosen unsere Arbeitszeit teilen. Doch solche Gedanken können im bestehenden System gar keinen Platz finden. Weil, im bestehenden Geldsystem gibt es eben nur viel Guthaben und Reichtum oder eben Schulden und/oder Armut und zu manchen Zeiten eben eine Mittelschicht, die zurzeit allerdings immer weniger wird. Kümmert das die Fädenzieher? Nein! Kümmert die Fädenzieher irgendetwas? Ja, ihr eigenes Wohlergehen. Siehe Aurabild „Sternchen und Kreuz“. Alles andere ist für sie Buchhaltung, die Menschen stehen für sie in der Bilanz, für was gibt es auch Postleitzahlen.

Menschen sind für sie nichts, ihr Guthaben muss stimmen.

In den oberen Rängen braucht man auch kein Gespür für jene zu bekommen. Denn keiner der „Leichen" scheut, kommt da rauf. Jene, die sprichwörtlich über Leichen gehen, schon. Wer sind die, was sind die ganz oben, die Oberfadenzieher, öffentlichkeitsscheu mal sicher. Manche sagen, es sind die Rothschilds, Rockefeller, die Queen (verstorben), mächtige Familien wie Clinton und Co., Manche gar, es sind Außerirdische. Manche sagen, es sind alle zusammen. Wer auch immer sie sind, sie und seelenlose Entitäten, ihr Hass ist Euch gewiss. Und alles

Schlechte, was sich ein Mensch mit Seele (Energiestatus) nicht vorstellen kann, das andere fähig sind zu tun, ist ihre Leibspeise. Sie haben kein mitfühlendes Wesen mehr. Mit einem Krokodil sind sie wirklich am besten beschrieben. Es geht nicht darum, Angst zu haben, es geht darum, das Wissen zu haben. Was Krokodile noch gut können, es sind gute Schauspieler, also können sie auch lachen, deshalb beschreiben auch andere sie als Psychopathen. Das heißt aber nicht, dass das „Volk" frei ist von solchen Entitäten, nein überhaupt nicht, ganz im Gegenteil, sie ergänzen sich sehr gut, die da oben und jene da unten.

Sie haben sich dadurch von dem, was sich der Schöpfer erdachte, so weit wie möglich entfernt. Auf die Strukturen dieses Prinzips, das die Weltenfäden zieht, sprich die Verhinderer der göttlichen Ordnung im Menschen und auf der Erde, werden wir noch
näher eingehen. Und das erklärt auch eine Frage, die so manche haben. Wieso lässt der Schöpfer das alles zu? Der Schöpfer lässt gar nichts zu, diese Entitäten stehen nicht im Geiste des Schöpfers.

Obwohl es schon um Informationen geht, auch wenn sie nicht energetisch getragen sind, weil sie energetische

Informationen gar nicht
aufnehmen könnten, gebrauchen
sie diese Informationen, um
andere noch besser manipulieren
zu können. Weil es schon eines
recht hohen Energiebildes
bedarf, um beim Gegenüber zu
erkennen, ob es sich nun um
selbst energetisch getragene
Informationen handelt oder nur
um wiedergegebene Kopfinfos,
um Euch parasitär zu
manipulieren oder Euch auf
Eurem Weg zu behindern, zu
verwirren, indem sie durch das
Gesprochene zuerst Euer
Vertrauen gewinnen und dann mit
Falschinformationen verwirren.
Falsche
Informationen nicht nur in Form
von direkten Infos, sondern in

Form Ihres Energiekörpers, das führt nämlich zu „double pains" (d.h. das, was das Gegenüber sagt und was sein Schwingungskörper überträgt, stimmt nicht überein) bis man zur wirklichen, begriffenen, deshalb befreienden Erkenntnis gelangt. Der Schwingungskörper überträgt die Wahrheit. Welche richtigen Wörter dein Gegenüber immer auch sagt, nicht das bezeugt seine wahrhaftige Ebene, sondern sein Energiekörper. Wort und Energie müssen stimmig sein. Und zwar einstimmig. Und das über einen längeren Zeitraum, denn kurz können Euch die mit Fremdenergien voll gefressenen parasitären Niederfrequenzen durch Ihr letztes Mahl schwingungstechnisch täuschen. Wenn Ihr auf diese Täuschung hereinfällt und Ihr aufgrund dessen Eure Energie fließen lässt, legt Euch Eure eigene vom Gegenüber gefressene Energie wieder rein. Also, falls Ihr Euch nicht sicher seid, in kurzer Zeit fällt das Energiebild zusammen, wenn es nicht mehr mit Energie versorgt wird. Das augenscheinliche Meerschweinchen mutiert vor Euren eigenen Augen zum Weißen Hai. Diese künstlichen Felder können nicht lange aufrechterhalten werden. Vor solchen Konstrukten rettet Euch, ohne dass Ihr Informationen über solche

Konstrukte habt, nur weiter schreiten in Eurer eigenen Entwicklung, in der das Erkennen darüber liegt. Und darüber hinaus muss ja mit dem Erkennen des weißen Hais noch kein Ende dieser Geschichte sein, denn so Manche, überhaupt, wenn sie in einem Abhängigkeitsverhältnis zu ihnen stehen, geben Jenen Beschwichtigungsenergie, warum Beschwichtigungsenergie? Was ist damit gemeint? Man streichelt den weißen Hai, damit er wenigstens für kurze Zeit zum Meerschweinchen zurück mutiert, weil ein Hai verbal und energetisch kein Wohlfühlmilieu für Euch darstellt.
Allein das energetische

Trommelfeuer eines solchen Energiekörpers kann man nur als Angriff gegen den eigenen Energiekörper empfinden. Der Clou an der ganzen Sache ist, dass sie Eure Energie nicht nur brauchen, um sich für kurze Zeit wohler zu fühlen, sondern auch um wiederum andere hereinzulegen. Weil es durch Euer Spannungsfeld, das Spannungsfeld und somit das Energiebild verändert, obwohl Eure Energie nicht künstlich ist, kann man von einer künstlichen Veränderung sprechen. Und somit ändert sich auch die Ausstrahlung bis rein in sanftere freundlichere Gesichtszüge des A nderen. Man könnte es mit einem Hologramm vergleichen.

Weil, wer will schon freiwillig mit einem weißen Hai zu tun haben? Also wer muss her? Das Meerschweinchen. Und das Meerschweinchen, in dem der Hai steckt, ist ja trotzdem nicht so wie ein Meerschweinchen normal wäre. Sie benutzen das Meerschweinchen aber als Avatar, nützen diesen Avatar dazu, um das zu bekommen, was sie wollen, auch Materielles. Also absoluter Missbrauch!
Manche bezeichnen solche humanoiden Lebensstrukturen auch als Psychopathen. Ihr müsst nicht das obere Bild nehmen, auch das Bild des Psychopathen beschreibt es Euch und bildet einen tragbaren Boden. Auch das

Bild des Sadisten könnt Ihr näher betrachten. Es gibt mehrere Betrachtungsweisen, um zu verstehen.

Und da man solchen Konstrukten überall begegnet, im wahrsten Sinne des Wortes, umspannt die ganze Erde durch alle Schichten der Erdbevölkerung, ein Illusionsnetz.
Umso mehr Menschen sich entwickeln, umso mehr gerät die Spannung des Tarnkappennetzes zusammen zu brechen. Und ist das der Fall, so wird darauf geachtet, dass die tragenden und tragendsten Strukturen energetisch versorgt sind.
Dieses Netz ist bereits sehr brüchig geworden. Und so könnt

Ihr ganz schön beobachten, gerade anhand von Deutschland, wie sich eine angebliche Demokratie in eine augenscheinliche Diktatur verwandelt. Eure Freiwilligkeit macht die Diktatur zur Demokratie, Eure Freiwilligkeit gibt den, als Meerschweinchen getarnten Haien die Energie, um das Meerschweinchen aufrecht zu erhalten. Doch das Dahinterliegende das war immer der Hai. Und umso mehr Menschen den Hai sehen und nicht mehr das Meerschweinchen, umso mehr tritt an Stelle der Freiwilligkeit ein NEIN und die Ablehnung. Und wer dann den dahinter liegenden Hai sieht, wird den dahinter liegenden Hai auch bekommen. Denn, wenn nicht freiwillig, dann mit den Haizähnen. Und das macht vielleicht eine ursprüngliche Ahnung über den Hai zur erfahrenen Realität. Und weil der Haifisch den Druck erhöht, wird es im Außen immer sichtbarer auch für Weitere. Und das lässt wieder den Druck des Hais erhöhen und wird dadurch noch mehr sichtbarer, sichtbarer, sichtbarer, das sogar manche zum Aufwachen bringt, die bis zum Schluss einfach nicht aus ihrem schönen Traum erwachen wollen. Umso weniger freiwillige Systemunterstützer, umso mehr unterschwelliger und sichtbarer Druck in die gewünschte Richtung. Das erzeugt einen ziemlichen Druck, nicht nur auf das Leben, sondern auch auf die vom Leben Abgewandten. Der Baumeister hat es verdammt eilig sein Werk zu vollenden, um im Endeffekt die Hai Erkennenden doch wieder auf den sicheren Boden zurückzuführen. Dass alles nur ein Irrtum war, eine Verkettung unglücklicher Umstände und umso irrer es wird, umso mehr werden die Leute schreien nach einer Zeit, wo das Murmeltier wieder friedlich grüßen kann. Eine neue Lösung muss her, wieder das Alte, nur im neuen Gewand. Und dieser Wunsch, dieses Bedürfnis, nützt nur einem, dem Baumeister mit

Haianhang. Was meint Ihr, wie leicht die Leute eine neue Ordnung fressen, damit halbwegs alles seinen Muh- und Mähgang geht. Das ewige Wiederholungsspiel. Wie oft auch immer noch. Und noch besser, man setzt das Volk in ein Schachmatt, sodass sie der neuen Weltordnung nicht auskommen, auch wenn sie es wollen würden.

Auch die künstlichen Hierarchien bringen auf Ihre Art Energie, aber eben keinen Apfelsaft. Und umso mehr und öfter man in dieses Apfelsaftglas andere Flüssigkeiten hineinfüllt, umso mehr nimmt der

Apfelsaftgehalt ab. So stehen einige Menschen unter einem Metatonprogramm und zwingen andere förmlich zur Metatonproduktion.
Überheblichkeit zeichnet die Menschen aus, die auf der Ersatzdroge sind, Aggressivität bei Unterdosierung. Sie leben den Kick der Hierarchie. Diese Süchtigen sind überall anzutreffen. Viele waren schon mit süchtigen Nachbarn konfrontiert, die sich laufend Hierarchiekicks der verschiedensten Strukturen zuführen müssen, oder vielleicht wart Ihr schon mal Zeuge von Rangkämpfen unter Süchtigen, auch das gibt es. Somit wären wir wieder bei der Spannung. Es gibt Vieles, was die natürliche Spannung ersetzen kann, doch

Nichts, was dauerhaft anhält und Nichts, was nicht laufend von außen energetisch unterstützt werden müsste, das erzeugt Bühnen und Illusionsblasen, die Metatonproduktionsmaschinen. Was die Masse der Menschen zurzeit allerdings sind, sind gut erzogene Konsumenten, in einem globalen, kapitalistischen System. Der Mensch wäre auf der Erde, um zu leben, in einem System der Fülle für Jeden.

Und nun zum Schluss, ja alles basiert auf Geben und Nehmen und hat mit Geld wenig zu tun. Was würde aus den Menschen werden, die kein oder zu wenig Geld haben. Einen Austausch, wie manche ihn nennen. Einen Ausgleich wie ich ihn nenne.

Wer in sich das System des Gebens, ohne sich selbst zu schaden, lebt, ist auch ans System der Fülle des Empfangens angeschlossen. Deshalb, wenn es Euer Bedürfnis ist, mit der Energie Eures Herzens zu geben, dann tut Ihr es, ohne an den sofortigen Ausgleich zu denken. Ein Beispiel: Wenn Ihr eine alte Frau mit ihren schweren Taschen seht und sie ihr nach Hause trägt, wartet Ihr dann, bis sie Euch bezahlt oder lässt ihr es einfach fließen. So verhält es sich nicht wie in der Esoterik dargebracht nur um einen 1:1-Austausch, sondern vielmehr um ein lebendiges Fließen. Ihr gebt und werdet bekommen, von welcher Stelle auch immer. So ist es aber auch, dass kein auf der Erde geborenes Wesen, keine Fähigkeiten hätte und eine Bereicherung darstellen könnte. So verhält es sich auch mit dem Gleichwert, dass keine Fähigkeit besser oder schlechter als eine andere ist. Und wenn es so wäre, würde auch keine mit Begeisterung putzende Frau oder ein mit Begeisterung arbeitender Dachdecker einen Akademikerjob anstreben. Die Gleichheit betrifft natürlich auch die materielle Seite.

Es leben Milliarden von Menschen auf der Erde, also genug, um dies gewährleisten zu können. Aber das liegt jenseits von ständigem Wachstum, Überproduktion, Ausbeutung, Korruption und Gewinnstreben, deshalb auch jenseits von Vollbeschäftigung. Dieses System kommt locker mit 2-3 Arbeitstagen aus. Dann stimmt der Spruch auch wieder, der Mensch ist auf der Erde, um zu leben und nicht, um zu arbeiten. Für die Welt gilt der Spruch, der Mensch ist in der Welt, um zu arbeiten und ein wohlerzogener Konsument zu sein.

Der Mensch ist nicht auf der Welt zum Arbeiten, sondern um zu leben. Ein Spruch, der bei Vielen zu einem Aufschrei führt.

Dazu fallen mir 2 Wörter ein, unbeantwortet und falsch. Mal schauen, ob sich diese 2 Wörter noch in den Text einfügen. Unterstützung der Wahrnehmung. Vieles scheint eine Unterstützung in unserer Wahrnehmung zu brauchen und das geht über das „schau mal hin" weit hinaus. Es kommt darauf an, die eigene Schnittstelle zu finden. Dabei wissen viele gar nicht, wie wichtig es wäre, sich in den eigenen Körper hineinzufühlen, es sensibilisiert. Es heißt nicht ohne Grund bei Schmerzen, denk nicht dran, man soll sich ablenken. So wie bei

Liebeskummer, Ablenkung ist angesagt. So werden Verschlüsse und Abkapselungen produziert. Aber an anderer Stelle wird ebenfalls nicht hingespürt. Man reduziert sein Wahrnehmungsvolumen. Auf körperlicher und energetischer Ebene. Wichtig wäre es aber, sein ganzes Wahrnehmungsvolumen uneingeschränkt bei sich zu haben, offen und frei. Dazu muss man oftmals den umgekehrten Weg gehen, den Weg zurück. Wenn Ihr Dinge erlebt und seid bei der Verarbeitung nicht bewusst dabei, sortiert es sich einfach von selbst ein. Dabei wisst Ihr gar nicht, ob das so richtig ist oder nicht.

Irgendwann ist z.B. der Liebeskummer weg. Das Endergebnis bekommt Ihr dann einfach so drauf geladen auf Euer Konto. Vor sich selbst verstecken, Selbstreduktion, Abspaltungen usw. das ist Euch nicht dienlich. Es gibt nur eines, das Ihr wirklich habt und das seid Ihr, aber oftmals auch eben das nicht. Als aller erstes solltet Ihr selbst auf dem Plan stehen. Überhaupt, wenn Ihr zu jenen gehört, die im Leben immer wieder Unwegsamkeiten erleben und Wahrnehmungs-unterstützung brauchen oder Menschen in Ihrem Umfeld haben, die ihnen diese Wahrnehmungsunterstützung immer wieder zukommen lassen vor allem über sich selbst. Da gibt es Unterstützungen, die Ihr mögt und andere wieder nicht. Natürlich nimmt man das, was man mag, aber stimmt es auch? Manche lassen sich aber auch ein negatives Bild über sich selbst drüber stülpen, das nicht der Wahrheit entspricht. So haben manche Ihr Umfeld sortiert nach mögen und nicht mögen. Es gibt so einige Arten der Sortierung. Es entstehen Illusionsblasen über sich selbst, die Welt. Man wird belogen, belügt sich selbst und damit andere und die, die es anders sehen, werden zerhackt. Das ist die Selbstlüge Nr. 1. Dann gibt es noch eine andere. Die Selbstlüge Nr. 2. Jetzt gehen wir so richtig rein in die Thematik, das kann bei komplexen Formen so weit gehen, dass sich Eure gesamte Vergangenheit verändert. Somit die Gegenwart und in weiterer Folge die Zukunft. Du bist so nett, sagt der eine zu dir. Bist du denn nett? Du bist so böse sagt der andere zu dir. Bist du denn böse?

Manchmal so, manchmal so? Ihr merkt schon, es geht ums Reflektieren. Sich selbst zu reflektieren. Es gibt immer nur eine Wahrheit und dann noch die vielen Wahrheiten der zahlreichen Illusionsblasen. Die Illusion über Euch selbst erzeugt auch immer eine Illusion über andere. Die Illusion Anderer kann aber auch, wenn Ihr sie unidentifiziert lässt, zu einer Illusion über Euch selbst führen. Die hässlichen Illusionsblasen = Lügen, lassen Menschen eher erwachen. Die Illusionsblase platzt. Ihr seid umgeben von Menschen, die in Illusionsblasen stecken, die wiederum in noch größeren Illusionsblasen stecken. (siehe russische Puppen) Ihr habt nur ein Werkzeug, das seid Ihr selbst. Es ist essentiell, dieses Werkzeug zu überprüfen. Ich getraue mich, hier einen Punkt zu machen und zu sagen, dass es keinen Menschen gibt, der nicht in einer Illusionsblase welcher Art und Intensität auch immer, steckt oder gesteckt hat. Obwohl das gesteckt hat, auch schon wieder eine Illusionsblase darstellen kann und in den meisten Fällen auch tut. Die Esoterik-Szene, die Alternativen Medien, die Patrioten, sind voll von Erwachten, wobei Manche davon aber nur in einer Illusionsblase des Erwachtseins stecken. Die Annahme, dass sie wach sind, hält sie in diesen Blasen fest. Das sind sie dann. Impulse zum Erwachen werden nicht mehr aufgenommen. Aber was weiß man wirklich. Man weiß immer nur das, was man aus seinem jeweiligen Entwicklungsstand wissen kann. Ein Erwachen zeigt auf, dass Elemente von Illusionsblasen weggefallen sind, in den wenigsten Fällen macht es klick und man ist munter. Es geschieht in Schichten, man schläft immer wieder ein. Jedes Mal, wenn man die Augen aufmacht, ist man ein klein wenig munterer, aber nicht munter genug, dass einen die Schlafwelle nicht wieder in den Schlaf zieht. Und schwupps, schläft Ihr wieder und träumt davon, erwacht zu sein. Ein bisschen schwer aus diesem Traum zu erwachen, wenn man den Dauertraum hat, schon erwacht zu sein. Die Lösungen, die Ihr in Eurem Traum des Erwachtseins findet, könnten vielleicht in der Betrachtung der Lösungen, eine Lösung für Euch selbst sein, um aus dem Traum des Erwachtseins zu erwachen. Schauen wir mal,

welche Lösungen Ihr in diesem
Traum findet. Es ist entweder
eine Systemflucht,
Aussteigerwege oder Lösungen,
die sich in der Bandbreite des
Systems abspielen.
Bedingungsloses
Grundeinkommen,
auch Libertäre sind ganz stolz.
Die Aussteiger, die
Selbsternährer.
Kein Strom im Garten, was der
Garten hergibt, eben. Was noch
dazukommt, ist der Zwang,
anderen immer mitzuteilen, dass
man erwacht ist und oftmals
sogar den Gnadenthron
einzunehmen, wer erwacht ist,
beurteilen zu können. Das eine
bleibt auf der Bühne des
Systems, das andere flüchtet

von der Bühne des Systems. Letztere quälen sich dabei noch zusätzlich. Der Plan B macht das System wenigstens angenehmer und Überlebenskampf technisch friedlicher und diese Druckabnahme könnte so manchen in den Plan A ziehen. Zumindest hat Plan B schon mal von der Selbstqual Abstand genommen.
In dieser Prägung und dem gleichen Interesse kann man sich sogar in Gemeinschaft treffen. So sind ja auch Religionen entstanden. Der eine sieht was in seinem geistigen Raum, schreibt eine Schrift (Buch) mit flotten Sprüchen und eine gewisse Masse glaubt dann daran und weil ja das alles über einen oder

mehrere Propheten gebracht, von Gott kommt, versehen mit Vorschrift, Gesetzen, Anleitungen usw. Die eigene Wahrnehmung wird ausgeschaltet und durch das Andere ersetzt. Kommt das Eigene mal raus, wird es unterdrückt. Oftmals muss da auch nichts unterdrückt werden, weil es mit dem eigenen, inneren Milieu Hand in Hand geht. Dann wird es geerdet und somit stabil in die Welt gebracht und auch zu dem werden, die Menschen missbraucht, um nieder schwingende Konstrukte, niedere Ideologien durch Ihren eigenen Energiekörper zu erden und in die Welt, auf die Welt zu bringen. Deswegen wird darauf

geachtet, dass der Mensch in
seinem Milieu gesenkt bleibt, um
überhaupt so viel Scheiße erden
zu können.
Das sind zwar Illusionsblasen,
die man ansprechen kann, aber
Menschen, die mit Ihrem
eigenen, inneren Milieu mit
diesen konform gehen, sollte man
nicht zu missionieren versuchen,
man tretet in einen Kampf ein
der sinnlos ist und
Energieverschwendung ist, und
weil es sinnlos ist, habt Ihr,
sobald Ihr zu kämpfen beginnt,
schon verloren. Somit habt Ihr
Euch selbst zum Opfer gemacht.
Aus dieser Täterblase ragt keine
Hand heraus, die nach einer
helfenden Hand sucht. Sicher, es
gibt auch Täter die Opfer

spielen. Es gibt viele Strukturen, die es zu entdecken gilt und wie schon gesagt, es gibt nur 1 Werkzeug dazu und
das ist Eure eigene Wahrnehmung, Wahrnehmungsfähigkeit. Aber nun nochmals zurück. Dabei fällt mir gerade Ashtar mit Raumschiff ein, wollte der nicht so einige evakuieren und auf andere Planeten bringen? Durchsagen, channelings, geistiges Reisen, die geistige Welt eben. So Manche, so sagen sie, wurden ausgewählt, um in Ihrem Namen Aufgaben zu übernehmen und das bildet nun schon wieder eine neue Hierarchieform, denn man hat sich an jene Leute zu halten, die

von jenen da oben ausgesucht wurden, zumal man aufsteigen möchte. Das spricht bei Vielen Ängste an. Vor allem vor dem Loslassen, von erkannt Falschem, nicht mehr Gebrauchtem. Oftmals lässt Euch auch die Angst weiter brauchen, was Ihr nicht mehr braucht. Bei manchen auch die Bequemlichkeit, weil, Loslassen bringt Veränderung mit sich. Auch wenn die Veränderung nicht von Euch selbst ausgehen muss, das Loslassen an sich bringt Veränderung, so oder so. Das Loslassen ist ein Impuls und bringt somit Veränderung. Und verändert Ihr Euch selbst bringt es auch Veränderung, es verschieben sich dadurch

Positionen. Manche versuchen krampfhaft im Außen zu verändern. Habt Ihr denn dazu ein Werkzeug? Nein, denn welches Werkzeug habt Ihr nur? Richtig, eines, Euch selbst. Wie heißt ein Sprichwort: verändere dich selbst, verändert sich die Welt, Euer kleiner Kreis. Ähnlichkeiten zum großen Kreis zu erkennen, wäre zur Erkenntnisfindung dienlich, denn genau das geschieht jeden Tag mit sehr vielen Menschen, Systemgetragenen. Viele Geschichten und Dramen hat Euch der kleine Kreis zu bieten. Ihr dürft nicht fühlen, keine eigene, schon gar keine gesunde Logik, haben. Zum Klarwerden braucht es keine Symboliken, es braucht nur Euch und Euer selbständiges, eigenständiges, geheiltes Werkzeug, um die Konzepte des Spiels und somit den Spieler, die Spieler, zu erkennen, im Kleinen (Kreis), wie im Großen (Kreis). Also was haben wir bis jetzt. Das Erwachen, Träumen, Loslassen, Verändern. Position verändern. Alles, was Ihr mit Eurer Wahrnehmungsfähigkeit, ohne Erklärungshilfe von Außen, nicht als real erkennen könnt, sollte auch nicht als real erkannt werden. Im umgekehrten Sinne ist das auch der Fall. Könnt Ihr denn überprüfen, ob ein geistiger Austausch auch mit irgendeinem z.B. aufgestiegenen Meister, real ist? Nein, das kann man nicht. Telepathie das kann es geben, ja. Also wenn Ihr glaubt, so einen Kontakt zu einem anderen Menschen zu haben, dann ist das ja überprüfbar. Ja, wenn der andere das aber nicht mitbekommen hat, könntet Ihr immer noch sagen, Ihr habt mit seinem Unterbewusstsein oder mit seinem höheren Selbst gesprochen. Ihr könntet oder eben auch nicht. Aber Bestätigung ist das auch keine. Real ist, was real ist. Am einfachsten und besten ist es, alles immer nur als Information zu betrachten. Und nicht den Fehler zu begehen, diese Information als 1. Instanz einzusetzen. Die 1. Instanz seid immer Ihr. Es wird eine Zeit geben, da habt Ihr Bestätigungen genug, um Euch selbst wirklich zu vertrauen. Wenn Ihr zu dem Punkt gekommen seid, dass Ihr Euch wirklich zu 100 % vertrauen könnt, ist es egal, wer vor Euch steht, was da außen gebastelt wird oder nicht. Das Vertrauen mündet aus der Liebe zu Euch selbst und der Erfahrung, dass Ihr als Wahrnehmungswerkzeug tauglich seid. Am Weg gibt es Schwachpunkte, nämlich Eure. Wenn Ihr in den Spiegel geschaut habt, kennt Ihr sie. Sie verzögern, verhindern, aber alles, was man erkannt hat, ist im Grunde genommen schon geschafft.

Das Losgelassen haben in seiner späteren Form ist eine ganz wunderbare Sache, sowie das „solo uno" festhalten, das Ganz-bei-sich-sein. Die Liebe, Vertrauen gefunden zu haben, all das bringt einen tiefen Frieden, Harmonie mit uns selbst. Das ist der größte Schatz, den man finden kann. Der Suchende hat gefunden. Das Land der Seeligen ist jenseits von Diskussionen, weil jenseits von dem Meisten, was jetzt in der Welt ist. Meinungen, Meinungen, Meinungen, Diskussionen, Diskussionen, Diskussionen.
Die Welt ist wie ein Kübel mit Malerfarbe. Diese Malerfarbe hat nur ein gewisses Spektrum. Diskussionen, Meinungen gehen

im negativen Normalfall nie über dieses Spektrum hinaus, alles rührt immer nur im selben Kübel. Es ist egal, wenn du die Diskussion gewinnst, welcher Diskussionsbeitrag zu was führt. Alles bleibt im Spektrum dieses Kübels. In einem anderen Spektrum, dem höheren Spektrum, gibt es das Spektrum des Inhaltes des Kübels nicht mehr.
Was man allerdings muss, ist das Spektrum des Malerkübels erkennen, verstehen, begreifen und im Endeffekt begriffen haben, dass man begriffen hat. Loslassen kann man nur, was man nicht mehr braucht. Der Willi hat da überhaupt keinen Raum. Es gibt keine Lüge im

Energiekörper. Der Energiekörper ist immer die Wahrheit. Weil dem so ist, ist der Wille ein Antrieb, der überhaupt keine Auswirkungen auf den Energiekörper hat im Anstieg. Und so, wie wir zuerst betrachtet haben, wird alles geerdet, was mit dem eigenen Spektrum Hand in Hand geht, also konform geht. Alles, was geerdet ist, ist gemäß Eurem eigenen Energiekörper. Da kann man unterscheiden, was erdet man selbst und was ist um Euch, das von anderen geerdet wird. Dann kann man betrachten, was und von wem geerdet wird. Und dann erkennt man das niedere System, die niedere Ordnung, den Baumeister und Jene, die ahnungslos dem Baumeister folgen, wie beim Rattenfänger von Hameln. Und, dass Eure eigene Erdungsfähigkeit über Eure wohnlichen Räumlichkeiten nicht hinausgeht. Dass Nichts in der Welt ist, was von einer höheren Ordnung, durch eine höhere Ordnung geerdet wurde. Und da liegt auch die Verantwortung und die Schuld der Welt. Ihr habt keine. Weil Ihr seid nicht Mitschöpfer der niederen Ordnung. Alles, was Ihr seid, liegt jenseits des Malerkübels. Und irgendwann kennt Ihr den Inhalt Eures eigenen Spektrums. Und deshalb wisst Ihr auch wie die Realität des anderen Spektrums aussieht. Und trotzdem müsst Ihr, um in dieser Welt zu leben, im Malerkübel rühren, weil, außerhalb gibt es nichts. Immer wieder im Malerkübel mitrühren, aber Ihr seid Euch voll bewusst darüber. Durch diese Vollbewusstheit hat es auch keine Auswirkungen auf Euren Energiekörper. Alles, was nicht mehr zu Eurem Energiekörper passt, wird ganz von allein losgelassen. So wird das alte System Schritt für Schritt deinstalliert und das neue installiert. Und viele bekommen in dieser Zeit keinen festen Boden unter den Füßen, weil sie den alten Boden verlassen haben und auf dem neuen noch nicht stehen. Viele Fragen stellen sich nicht, viele Dinge sind einfach und viele Dinge einfach nicht mehr. Einen Querschnittgelähmten braucht man nicht zu fragen, warum er nicht geht. Genauso einen Gesunden, warum er gehen kann. Wieso verlangt man nicht von einem PC mit Windows 8, dass er auf Windows 98 läuft. Kann er nicht. Umgekehrt ist es gleich. Erklärt an einem PC mit Windows 8: Auch wenn der PC nicht weiß, dass er Windows 8 hat und Windows 8 also sich selbst auch noch nicht kennengelernt hat, gehen trotzdem keine Spiele von Windows 98. Wenn solche Menschen „Dummheiten" machen, dann aus Naivität, niemals aus Herzsenkung. Dieser Hang zur Naivität löst sich auf bei

Entpackung des Windows 8 Programms. Und die vorvollendeten Herzen sind auch jene, die Ihren Weg angetreten haben und antreten werden. Die Macht, die hier auf der Erde ist, ist uralt. Man kann also nicht davon ausgehen, dass sie um die Vorvollendeten nicht weiß und die Vollendeten fürchten. Es gibt Berichte über die Vollendeten, ob sie stimmen, soll auch wieder da stehen bleiben, wo es Eure eigene Erfahrung und Wahrnehmung bestätigen kann. Real ist, was real ist.
Das, was real da ist, ist da, weil es von nieder schwingenden Entitäten eingebracht wurde und wird. Die noch Niederschwingenden können

nicht mehr selbst erden. Deswegen geben sie das Konstrukt den etwas höher Schwingenden, im nieder schwingenden Bereich, die es dann erden. Nur, weil es geerdet ist, heißt es noch lange nicht, dass es ist. Weil, das Sein unterliegt ausschließlich der göttlichen Matrix, sprich der göttlichen Schöpfung. Die göttliche Schöpfung beginnt aber erst im Ausdruck gemäß eines bestimmten Schwingungskörpers, der göttliche Schöpfung durch seinen Körper und seine Energieschwingung nach außen bringt. Alles, was nicht durch diese göttliche Schwingung geerdet wird, entspricht somit nicht dem Sein, dem ICH BIN und gehört zur abgewandten Seite Gottes, dem satanischen System der niederen Ordnung. Und die kann man als Erschaffer, Erbauer bezeichnen, als Baumeister und seine Erdungshaie. Und weil sie nicht SIND, im Sinne des göttlichen Seins, spricht man von künstlicher Matrix und Entitäten. Und das ist das Spektrum des Malerkübels, in dem Ihr gefangen gehalten werdet.

Pentagramm

Das eine, das das Positive zeigen soll, ist somit nichts anderes, als

die 2. Seite derselben Medaille. Und weil es eigentlich zusammengehört, ist es egal wie der Wind die Staatenfahne bewegt. Es wird ganz offen das Prinzip gezeigt und nicht nur an dieser Stelle.
Schauen wir uns die 2 Seiten der Medaille an. Das eine ist eindeutig das satanische Prinzip und das andere ist genauso eindeutig, wenn man weiß, um was es geht. Weil das Symbol zeigt die Erdung wie oben beschrieben, das Satansprinzip.

Also ist alles aus der geistigen Welt erst dann, wenn es sich mit Euch in der gemeinsamen Stofflichkeit befindet. Ich würde sogar noch einen Schritt weiter gehen. Wenn die Regierung jetzt sagen würde, Außerirdische sind gelandet, und Ihr die Bilder im TV seht. Gerade die Regierung, gerade die Medien, real ist in so einem Fall, was vor Euch steht. Die sogenannte geistige Welt kann an einen Traum erinnern und so sollte man es auch betrachten, und da man diese Bilder und was auch immer, am Tag hat. Also das Nachtbewusstsein in den Tag zieht, hat man so die Gelegenheit, bewusst zu träumen. Was Euch das aber sagen könnte ist, dass Ihr keinesfalls wach sein könnt. Vielleicht hilft es Euch, diese Bilder und gechannelten Wörter so eher zu verstehen. Das Wichtigste ist in Kontakt zu Euch selbst zu kommen, alles, was Ihr braucht und seid und sein werdet liegt im ungeoffenbarten Teil Eures Selbst. Ihr seid wie eine große Bücherei mit vielen Büchern. Beginnt zu lesen. Und wenn Ihr die geistige Welt braucht, um diese Bücher zu finden, dann ist es so. Aber es ist Euer Raum und das, was da drinnen ist, ist für Euch, von Euch. Wenn es da um Hierarchien geht, um ein Ausgewähltsein, dann habt Ihr ein Machtproblem. Wenn Ihr ein Buch für die geistige Welt schreiben sollt, habt Ihr auch wieder ein Problem. Wenn Euch gesagt wird, wohin Ihr gehen sollt und was Ihr machen sollt, wird das Problem haarig. Man sollte sich nicht von Träumen lenken lassen, man sollte sie verstehen. Nur, weil Ihr in der geistigen Welt Reptoiden seht, heißt es noch lange nicht, dass es sie auch gibt. Es gibt sie dann, wenn sie vor Euch stehen. Nicht als Vorstufe im TV. Nein, vor Euch berührbar. Real ist, was real ist.

Vielleicht ist es das Prinzip, was Ihr Euch selbst zeigen möchtet. Sicher es gibt Reptos, nämlich unter den Menschen (Humanoiden). Wie ist ein Krokodil? Diese Humanoiden sind wie Krokodile mit Verstand, eben kein Gefühlskörper, kein Herz, Verstand-Emotion-Trieb.

Überhaupt in einem niederen Energiebild neigt man eher dazu, mit sich selbst zu streiten. Also solltet Ihr vorsichtig sein. Könnte auch sein, dass Ihr Euer niederes Selbst channelt und Ihr gar nicht den Weg, Spirale nach oben angetreten habt, sondern nach unten. Wie schon gesagt, im Laufe des Weges sollte man die geistige Welt losgelassen haben, das gehört zum Erwachsen werden und knietief in der eigenen Bibliothek sitzen. Auch das Loslassen der geistigen Welt führt zum Gefühl erwacht zu sein, so wie jedes Buch, das Ihr in Eurer eigenen Bibliothek lest, mit und ohne Erfahrungen im Außen. Viele sind ja Tausendsassas, warum auch nicht, lesen die Bücher in Ihrer inneren Bibliothek. Schauen sich dies, das und noch anderes an. Meditiert oder auch nicht. Der Andere hat sich mit alledem gar nicht beschäftigt und weiß doch dasselbe und oft mehr. Weil es so ist, im Grunde genommen, braucht man gar nichts, kein Seminar, kein Spray, keine Meditation, nur Euch selbst. Jene Impulse, die Ihr braucht, holt Ihr Euch selbst, das ist sicher, und jeder braucht etwas anderes.

Es gibt eben den inneren Weg und den äußeren Weg, beide sind eben individuelle Wege, sind eben verschieden. Beide müssen gegangen werden. Zuerst nach innen, dann nach außen, das wäre mein Tipp. Würde vielleicht zu weniger Verirrungen führen und Ecken, aus denen Ihr nicht mehr so leicht rauskommt (ganz werden sie Euch vielleicht nicht erspart bleiben). Obwohl der innere Weg der längere ist und der äußere der kürzere. Beide Wege führen zum gleichen Punkt. Beim äußeren Weg macht man weniger Erfahrungen, bekommt man mehr Impulse = Impulsweg, (= spirituelle, männliche Ebene) beim inneren Weg macht man viel mehr Erfahrungen und das ist ein Erkenntnisweg. Durch äußere Impulse gehen die Vorhänge auf und der innere Weg ist Traumata auflösend und heilend. (Gefühlskörper = weibliche

Ebene) Das eine öffnet nach Abschluss die andere Ebene.

Der äußere Weg ist die Theorie, der innere die Praxis. Wenn man nur den inneren Weg macht, hängt man in der Luft, der Energiekörper ist geerdet, der Körper nicht. Wenn man nur die Theorie hat, den Theorieweg geht, fühlt man zwar nicht, dass man in der Luft hängt, trotzdem ist man ungeerdet, weil der Energiekörper in der Luft hängt. Diese Ecken sind falsche Annahmen, ist weiter nicht schlimm, wenn Ihr bereit seid, auch wieder loszulassen, wenn andere Impulse Euch die Ecke aufzeigen. Immer bereit loszulassen, immer bereit für Neues, der Weg der linken und der rechten Hand und auch wenn ich diese Worte schreibe, sie haben absolut nichts mit jenem Inhalt derer zu tun, die auch diese Worte benutzen. Es ist wie der Farbkübel und das Apfelsaftglas, einfach nur ein Bild, das etwas schlüssiger übermitteln soll. Die linke ist die Herzseite, die weibliche Seite, symbolisiert den inneren Weg. Bevor Euer Energiebild die Verschränkung nicht abgeschlossen hat (siehe Aurabild), möchte ich den äußeren Weg für eine Frau nicht empfehlen. Es ist ein Rüstzeug, um sortieren zu können. Wenn Ihr dann den äußeren Weg beschreitet, werdet Ihr merken, und erstaunt sein, was Ihr alles schon wisst. Ihr werdet merken, dass vieles was in den Büchern oder sonstigen alternativen Medien steht, berichtet wird, Ihr alles schon wisst, ganz allein durch Eure eigene, innere Bibliothek, ganz durch Euch selbst, das wiederum gibt Euch großes Vertrauen zu Euch selbst. Ihr wäret nicht Ihr, wenn Ihr Euch nicht alles anschauen würdet, quer durch das Gemüsebeet samt Politik, Geschichte und Co. KG. Erkennen, erkennen, ah, ah und aufwachen, weiterschlafen, wieder, wieder und wieder. Und so wie Ihr nach jedem Aufwachen ein Stück munterer seid, kommt Euch vor, es gibt Zeiten am Tag, da seid Ihr schon wach und dann wieder nicht. Das Nachtbewusstsein hat etwas mit dem Unbewussten zu tun. Umso mehr Ihr bewusst werdet, umso mehr schließt sich das Tages- und Nachtbewusstsein zusammen.

Ein Schlaf der Gerechten, der Seeligen folgt. Die reale Ebene kann beginnen. Und weiter geht es, wirklich aufhören tut es nie, es gibt immer nur ein Weiter und weiter. Aber die Push-Zeit ist vorbei, es verlangsamt sich, es wird ruhiger. Vorher war es ein Dauermarsch des Erlebens, Erfahrens, Erkennens, Begreifens. Alles in Euch ist nun friedlich. Und dann hat man begriffen, dass man begriffen hat. Keine Steine mehr, die zum Umdrehen rufen, keine Gefühlsebene, die noch Heilung braucht, sie ist geheilt. Keine geistige Ebene, die sich das und jenes noch anschauen möchte. Es IST, Ihr SEID. Ihr habt den Boden erreicht, den neuen Boden, Ihr habt die alte Wurzel ausgerissen, neu installiert und gewurzelt. Nur eines wisst Ihr noch nicht, ob Ihr in der nächsten Existenz geboren werdet oder mit Eurem Körper überwechselt. Die, die Ihren Körper mitnehmen, haben den schwersten Weg, sie brauchen die Wurzeln, die anderen nur die Samen, obwohl, das ist für sich schon eine grandiose Leistung.

Ich glaube, jetzt versteht Ihr, warum die Bereitschaft loszulassen so wichtig war und ist. Aber wie schon vermerkt, es bräuchte gar, gar keine andere Dimension. Aber das Hier kann noch tausende von Jahren so weiter gehen und der Weltenkarren noch einige Male nach unten gezogen werden.

Rassen

Es gibt eigentlich nicht wirklich Rassen, es gibt Anlagen in Stämmen, Fähigkeiten, würde man in einer höheren Ordnung sagen. Nur hier ist vieles ganz anders. Sie arbeiten, wie immer, mit Fangideologien, mit einem Fünkchen, um in die Masse einzudringen. Viele suchen eine

Insel, Ihr werdet sie nicht finden, wenn nicht bei Euch. Entweder man möchte die Wahrheit sehen und die ist nicht schön, oder die Augen verschließen und hoffen nicht zu viel passiert, damit man in der persönlichen, heilen Welt weiter schwimmen kann, unbeachtet, dass es vielen so schlecht geht. Man muss sich dabei nicht schuldig fühlen, die Schuld gehört einem nicht. Die einzige Schuld, die man da vielleicht sehen könnte, ist die Augen bewusst geschlossen zu halten. Ihr könntet spenden, Zeit investieren, falls Ihr beides wirklich habt. Wirklich ändern könnt Ihr nichts. Die Pflanze Welt ist schwerst krank, einschließlich der Wurzel. Ihr könntet auch schauen, wo ist mein kranker Anteil an der Welt. In den meisten Fällen werdet Ihr an Grenzen stoßen, dass Ihr gar nichts verändern könnt, weil Ihr nicht dürft. Umso mehr Ihr Euch entwickelt, umso mehr seht Ihr das Falsche. Sobald Ihr die Täterschaft einstellt, wechselt Ihr auf die Opferseite. Viele, die gar nicht vorhaben, die Täterseite zu verlassen, aber eine Ausrede für die Opfer brauchen, arbeiten mit dieser Ausrede. Sie geben oftmals auch vor, unter diesem Umstand zu leiden, tun es aber nicht. So sind sie einfach auch bei den anderen fein aus dem Schneider. Täter sind vorzügliche Spieler, Maske auf, Maske runter. Das Spiel gibt ihnen einen Kick. Aber nicht nur, es erhält Ihren positiven Rahmen, um nicht enttarnt zu werden. Umso mehr sie reinlegen, umso alleiniger steht Ihr mit Eurer Wahrnehmung da. Seid Ihr ein weiter entwickeltes Werkzeug macht Euch das nichts mehr. Aber auch das hat so Stufen der Entwicklung. An einem gewissen Punkt könnt Ihr Euch so richtig einsam fühlen. Ihr merkt, dass keiner da ist, wo Ihr seid. Wenn Ihr zu 100 % selbst Euren eigenen Raum ausfüllt und auf den auch besteht auch, wenn andere Euch lieber im reduzierten Zustand hätten, dann spürt Ihr die Fülle in Euch. Und hinein gespürt, sind in dieser Fülle auch andere. Auch wenn Ihr im Außen niemanden seht oder habt, die Fülle in Euch pulst Euch unaufhörlich, dass Ihr nicht allein seid. Das ist so tragend und stark, dass es nicht anders sein könnte, als wenn es im Außen schon so wäre. Also ist es auch so. Ihr wisst es nur noch nicht.

Aber auch das legt sich wieder, kann sich aber wiederholen. Irgendwann auf Eurem Weg macht Ihr Bekanntschaft mit dem Beobachter, der Ihr auch selbst seid. Ihr erkennt, dass er eigentlich immer schon da war, Ihr einfach zu wenig auf ihn gehört habt. Aber wartet, war es überhaupt der Beobachter oder war es Eure Intuition, Euer

Gefühl? Bei einer Frau war es die Gefühlsebene, es ist das feinstoffliche Sinnesorgan, das dem Weiblichen zugeordnet wird. Dem Gefühl keine Aufmerksamkeit zu schenken, ja, das ist nicht gut, überhaupt wenn man unter der Hoheit seines eigenen Gehirns steht. Aber halt, das zeigt Euch, dass Ihr unter dieser Hoheit steht. Das zeigt auf, dass Ihr falsch verkabelt wurdet. Von Familie, Umfeld, Schule, was auch immer. Manche würden auch sagen, Ihr seid umgedreht worden. Das Gehirn erkennt nicht, das Gehirn ist gefühllos. Ihr habt den Gefühlskörper, der verletzt werden kann. Gefühlskörper spürt Ihr im Bauch. Obwohl der Gefühlskörper überall ist. Deswegen können Verletzungen des Gefühls den Körper schädigen. Das Wahrnehmungsinstrument Gefühl ist im gesunden Zustand mit Eurem gefühllosen Gehirn vernetzt. Durch diese Vernetzung legt sich wie eine Brille das Gefühl über Eure Augen, das ergibt den Filter. Und durch diesen Filter habt Ihr andere Augen und andere Ohren. Ist dieser Gefühlskörper gestört, sieht Euer Gefühl was anderes als Euer Gehirn. Ihr habt die Brille nicht auf, sondern es ist auf das Gefühl beschränkt. Wenn Ihr das wegschiebt und nicht auf

Euren Bauch hört, dann kann der Gegenüber Euch manipulieren, weil Ihr den Unterschied zwischen Gefühl und Emotion und Spiel zu wenig wahrnehmt. So ist die Wahrheit in den Hintergrund geschoben, obwohl Ihr sie seht. Sie ist schwächer als die Lüge. So kann man mit Euch spielen und Euch Schaden zufügen.
Bei einem sadistischen, narzistischen, psychopathischen Umfeld (wobei der Psychopath alle Lieder spielt) in der Kindheit, kann es zu so etwas führen. Weil, ein solches Umfeld vom Kind verlangt, seine wahren Gefühle weg zu machen und auch immer als falsch beurteilt werden, weil, die Gefühle

enttarnen den Täter und die Gefühlsverletzung erst recht. Er möchte aber nicht enttarnt werden, da werden diese sadistischen, psychopathischen Täter erst richtig aggressiv. Viele Täter gehen, wenn sie wahrgenommen werden, auch noch in die Opferrolle und geben dem Gegenüber die Schuld, die sie selbst hätten. Auch das wirkt sich aufs Leben aus. Auch, weil solche Brüche meist in der Kindheit passieren, gehen diese Menschen lange, wenn nicht ein Leben lang, schief. Da könnt Ihr Euch in der Tiefe nur selbst helfen. Das heißt zurück in die Vergangenheit und Euch heilen, wie lange auch immer dieser Weg sein mag, um die Wahrheit über

Euch selbst und andere zu erlangen. Denn, so haben diese Menschen jedes Mal, wenn sie sich in Zukunft wehren gegen Täterschaft anderer gegen sie, massive Schuldgefühle. Aber auch Ängste, Überlebensängste. Man darf nicht vergessen, das Kind steckt in einem Abhängigkeitsverhältnis und wenn man das nicht löst, schlittert man auch als Erwachsener leicht in solche Strukturen, wo sich Täterschaft und Abhängigkeit trifft. Verunsicherung auf ganzer Ebene, sobald ein Täter Eure Gefühle in Frage stellt. Wenn Ihr stark bleibt, seid Ihr im Kriegsgebiet, das ist mal sicher und der ganze Hass samt

Verwünschungen des Täters wird Euch treffen und dieser Hass wird nie aufhören, da könnt Ihr Euch sicher sein. Also Ihr schiebt Eure Gefühle weg, das mögen die Täter am liebsten. Ihr dürft zwar Eure Gefühle haben, aber nur um sie ihnen zu geben und nicht, um sie zu erkennen. So seid Ihr oft hin- und hergerissen, weil das Geben auch das Erkennen mit sich zieht. So gibt es immer zwei Seiten, in denen man hin- und hergerissen wird. Die Einleitung zu so einem Dauer Hin- und Hergerissensein ist die Beschwichtigungsenergie. Weil, das, was Ihr gebt, diese Psychopathen brauchen. Das hebt Ihr inneres Milieu. Und wenn es nicht das

Gefühl/Energie ist, was sie haben wollen, sind sie so lange böse, bis sie erreicht haben, was sie wollen. So sagt man oft Ja zu etwas, damit man seine Ruhe hat. Und DAS ist ein großer Fehler. Weil, das Gefühl weiß, dass es negative Folgen haben wird. Da muss man den falschen Weg wieder zurück gehen und das ergibt noch mehr Widerstand, als wenn man gleich beim Nein geblieben wäre, aber die Folgen des JA sind schlimmer als der Weg zurück. Und solche Situationen lieben Psychopathen, weil sie sich gerne als Retter in so einer Situation einsetzen, die sie selbst mit Ihrem Druck verursacht haben. Also Ähnlichkeit zu politischen

Abläufen sind augenscheinlich, obwohl ich hier den privaten Psychopathen beschrieben habe. Und genau das zeigt jetzt etwas anderes auf. Nämlich die Verschränktheit des kleinen und des großen Kreises. Der kleine Kreis ist alles, beginnend mit Eurem Körper, Eurem Körper herum, was Ihr durch die Bewegung Eures Körpers erreichen könnt (z.B. Wohnung, Arbeitsplatz, Urlaub...) alles wo Ihr persönlich anwesend seid. Dazu gehören auch die Personen (alle Personen). Da sich Psychopathen durch die gesamte Gesellschaft ziehen, macht das Euch möglich, den großen Kreis durch den kleinen Kreis zu verstehen. Zum großen Kreis gehört alles, wo Ihr nicht persönlich anwesend seid (z.B. Politik). So wie oben, so unten, wie unten, so oben. Wenn Ihr was verändern wollt, ist hier einzusetzen. Dem Gehirn kann man alles einreden, auch eine Version vom Täter, so wie er will, dass Ihr ihn seht und eine Version über Euch selbst, wie Ihr Euch sehen sollt (ohne Brille).

Denn, wenn der Täter Euch erfolgreich eine andere Version seines Selbst verkauft, gibt es in logischer Folge eine andere Version von Euch selbst ab. Und das verschiebt Eure Position und bringt Euch in eine Illusionsblase von Euch selbst. Und hat ein Psychopath die Möglichkeit bekommen, Euch in die Illusionsblase zu bekommen, ist jedem Psychopathen auf der Welt geholfen. Weil, was Ihr hier falsch wahrnehmt, nehmt Ihr überall falsch wahr. Und da Ihr hier das Ausmaß des Schlechten wahrnehmungsverändert seht, seid Ihr der Staffel für den Staffellauf der Psychopathen. Das Positive, das auch da wäre, ist für Eure Wahrnehmung zu sehr nach hinten gedrückt, als dass Ihr es wirklich sehend, lebenstragend wahrnehmen und erfahren könnt. Ihr läuft einfach daran vorbei. Und was Ihr nicht seht, sieht Euch nicht. Und dieses Elend muss man im kleinen Kreis knacken, im Großen ist es nicht zu knacken. Weil so findet das, was zusammengehört, nicht zusammen. Und das erzeugt die künstliche Polarität. Wo manche sagen, plus und minus ziehen sich an, dem wäre nicht so. Und so hat sich die künstliche Ordnung gewisse welttragende Strukturen erschaffen. Und so wird dem Menschen überall erklärt, was er sehen soll. Und durch Abhängigkeitsverhältnisse wie Kindergarten, Schule, Elternhaus usw. wird verlangt, Gefühl weg, Gehirn an und da wird alles wahllos hineingestopft. Und der Sortierer Gefühl ist abgemeldet. Weil, wenn man das Gefühl nicht wegschiebt, erkennt man, dass das System nicht für den Menschen gemacht ist, sondern der Mensch, befüllt, für das System gemacht wird. Und das führt zur allgemein bekannten Spaltung privat und nicht privat. Also privat und öffentliche Person. Dabei gibt es nur eines. Und das System konstruiert eine künstliche Spaltung. Deshalb kann ich nur raten, Euch wieder „zu entspalten" zu Einem und den eigenen Raum leben. Überall gleich. Da gibt es welche, die können das nicht mehr. Die haben die allgemein menschliche Ebene zur Gänzeverlassen und sind nur mehr ein befülltes Kunstprodukt, das das System wieder neu befüllen kann, so wie es dem System gerade passt, da

kein Widerstand mehr da ist.
Keine Firewall mehr vorhanden.
Sie wären von sich aus keine Psychopathen, sie werden allerdings von Psychopathen als Diener eingesetzt.
Weil das anwesende Macht-System selbst diese Strukturen trägt. Wir leben nicht nur in einer Welt die als Gefängnis zu betrachten ist, sondern auch in einer Großraumpsychiatrie, in der nur die schlimmsten Kranken, Pflegepersonal und Ärzte sind, nur diese überhaupt dazu werden können. Manche hängen im Himmel des positiven Denkens und wollen das alles nicht sehen, denn Ihrer Meinung schadet ihnen das, sie fühlen sich dann nicht mehr gut.

Gut, das verstehe ich auch.
Dann sollen jene dort stehen bleiben.
Jeder hat die freie Entscheidung.
Und wir gehen weiter. Doch sicher geht es einem beim Wahrnehmen dieser Dinge nicht wirklich gut, aber auch nicht wirklich schlecht. Ihr erweist den Opfern einen Dienst damit, aber dazu später mehr. Und als Betroffener natürlich Euch selbst. Wir leben in einem Tätersystem, in einem Opfer-Täter-Umkehrsystem. Gehen wir zu Eurem Gefühl zurück. Ihr hattet die Kraft und den Mut es zu heilen. Habt erkannt, dass Euch das Schlimmste erspart geblieben ist oder eben auch

nicht. Das Schlimmste war nicht Opfer gewesen zu sein, sondern zum Täter geworden zu sein. Einige Täter waren einst mal selbst Opfer. Diesen Weg bestimmt die Herzebene, bei einem vorvollendeten Herz ist man nur Opfer, wirkliche Täterschaft ist unter dieser Schirmherrschaft nicht möglich. Bei reduziertem Herzen sieht es da leider anders aus. Aber da, wo ein wirkliches Bedürfnis, da auch ein Weg. Ansonsten läuft die Täterschaft wie oben schon beschrieben, weiter, das geht in die weitere Versenkung, bis nichts mehr da ist. Keiner wird böse geboren. Auch das stimmt leider nicht. Die Körpererschaffende Möglichkeit

geht bis zur Vorstufe der absoluten Auslöschung bis zum göttlichen Funken sozusagen. Und so darf man das auch verstehen.
Es gibt zwei „Rassen" hier auf Erden. Wobei die eine die Macht hält und den rechtmäßigen, weil angestammten Platz der anderen besetzt. Und deshalb ist die niedere Ordnung anwesend und nicht die höhere. Sie halten die Masse mit allen Mitteln in der niederen Ordnung gefangen.
Zurück zum Gefühl, nicht zu verwechseln mit der Emotion. Das Gefühl gehört zu einer Komponente Eures Wahrnehmungssystems und sollte durchgehend anwesend sein, egal wo auch immer, auch

bei der Sexualität. Das Gehirn ja auch, nur es würde im gesunden System eine untergeordnete Stellung einnehmen. Das sollte man nicht hierarchisch sehen, das Gehirn (Mentalkörper) hat seinen natürlichen angestammten Platz gefunden. Wenn Euer Gefühl dauerhaft und stabil anwesend ist, gewinnt Ihr viel an Wahrnehmungsfähigkeit. Es ist so, als würde bei zwei trüben Augen eines geheilt sein, aber eben nur eines. Und wenn Ihr auf das vertraut, fällt ein Vorhang nach dem nächsten. Das Gehirn beginnt loszulassen, auch wenn manchmal Angst aufkommen kann, es lässt los. Und in diesem ist er dann der Beobachter, oberhalb des Scheitels. Dieser

Teil, Euer spiritueller Körper, Wahrnehmungsfähigkeit, ist dem Männlichen zugeordnet.
Verbinden tut beides das vorvollendete Herz. Irgendwann in diesem Prozess geht die Anlage zum höheren (vollendeten) Herzen auf, das sind 2 Punkte links und rechts unterm Schlüsselbein. Von dort bis einschließlich dem Herzen, ist das sogenannte Herzfeld.
Das Wurzelchakra hat sich mit dem Gefühlskörper zusammengeschlossen. Der spirituelle Körper verbindet sich durch das Herz mit dem Gefühlskörper, das möchte ich mit dem Symbol der 8 kennzeichnen. Die Gehirnhälften sind durch diesen Prozess

synchronisiert. Und wer es nicht glauben sollte, dass Zitronenfalter Zitronen falten, durch diese Verschränkung macht das Energiebild einen Überschlag. Zum Erstaunen, es geht weiter. Diesmal ist die Erfahrungssreihe des Beobachters dran und wiederum fällt ein Vorhang nach dem anderen, das höhere Herz geht auf, wird immer aktiver. Sexualebene auf null und ebenfalls geklärt. Nun habt Ihr 2 aktive Augen. Die nächste Verschränkung 8 mit dem höheren Herzen bringt Eure Wahrnehmungsfähigkeit auf einen Punkt. Das vereinigte Chakra, dieses ist weiß. Bei einem Mann geht der Weg verkehrt.

Einen Menschen mit einem vorvollendeten Herzen kann man treten, schlagen, fertig machen bis zum Abwinken. Man kann ihn quälen ein Leben lang. Er ist ein Stehaufmännchen und auch wenn das Wiederaufstehen immer länger dauert und ihn Alles miteinander wahrscheinlich frühzeitig ins Grab bringt, er geht, wie er gekommen ist. An einem vorvollendeten Herz ist nicht mehr zu rütteln. Es ist ein Ding der Unmöglichkeit, ein vorvollendetes Herz zu senken. Was ist der Unterschied zwischen vollendetem und vorvollendetem Herzen? Das

vorvollendete ist noch nicht geoffenbart.
Wenn man den Wald vor lauter Bäumen nicht sieht. Ohne Beobachter seid Ihr immer im Wald (Bild, äußere Welt, Film). Ihr seid im Wald, weil Ihr Bindung zum Wald habt oder ein Teil oder gar der ganze Wald seid. Das Gefühl, das gesunden möchte, beginnt, Bäume von sich weg zu schieben, weil es sich nicht gut anfühlt. Beim vorgesundeten Gefühl beginnt der Beobachter zu erwachen, der Beobachter definiert das Weggeschobene. Was ist das Wegschieben? Es ist ein Ablehnen des gesundeten Gefühls gegen schädigenden Einfluss von außen. Vormals

oftmals als ein Weglaufen. Weil beim Weglaufen das Werkzeug der eigenen Wahrnehmung noch zu wenig Tragkraft hat, läuft man Gefahr vom Regen in den nächsten zu kommen, wenn nicht sogar in einen Hagel. Ich schreibe jetzt gerade vom zwischenmenschlichen Prinzip, vom kleinen Kreis, dessen Information im Sinne des Begreifens übertragbar ist auf den großen. So könnte ich von einem Hurrikan davongelaufen sein und lande in einem Regen, fest in der Annahme, auf die andere Seite gelangt zu sein. Da ist er nun der strahlend blaue Himmel. Na, eben nicht, in Eurem Bett krabbeln die Nacht nur mehr 2 Kakerlaken statt 50!

Gefühlsebene, sie stößt ab,
schiebt Unpassendes weg,
greift aber nicht an. Das ist
keine äußere Handlung, sondern
vollzieht sich, umso mehr
ausgereift, ganz deutlich im
eigenen Energiekörper. Weil, das
feinstoffliche Organ, Gefühl,
seinen Sitz im Bauch hat, im
ausgereiften Zustand inkludiert
es auch die Bereiche der
Sexualorgane. Der Darm nimmt
auf, und scheidet nicht
Passendes aus, deshalb braucht
es eine gute Verdauung wegen der
Welt. Durch Euren ganzen Körper
fließen Nerven. So fließen auch
die Impulse und Informationen
der
Gefühlsebene über diese

Energieautobahn
(Nervensystem). Schauen wir uns die Körperebene an. Umso vervollständigter die Gefühlsebene, umso mehrere Verflechtungen macht das Ganze, ein vorvollendetes Herz beinhaltet diese Verflechtungen schon im ungeoffenbarten, unbewussten Raum. Das bewusste, geoffenbarte erhebt die dazugehörenden Organe in eine höhere Schwingung und hat eine geringere Verdichtung, das ist der Weg, um ganzheitlich höhere Impulse und Schwingungen aufnehmen zu können, höhere Schwingungsformen sehen, die Schwingung erwidern. Real dort angekommen zu sein. Die

Interaktion, der Wechsel vom alten ins neue Netz. Innen, außen und oben, das fließende System. Zurück zum Gefühl. Was das Gefühl noch tut, es zeigt die Wahrheit des Erfühlens. Wenn Ihr eine Ohrfeige bekommt, tut das weh.

Wenn Euch jemand niedere Frequenzen zukommen lässt, ebenfalls. Träger elektromagnetischer Frequenzen, die innen und außen mit dem elektromagnetischen Netz interagieren. Ob es nur die Frequenz (Wenn Blicke töten könnten) ist oder die Frequenz mit Wort oder Tat oder beides. Es ist ein Schutz für Euch, weil es Frequenzen und Frequenzträger aufzeigt, die

Euch schaden, sobald sie können. Solche Frequenzen sollte man nicht in sein Haus bitten, vorausgesetzt man erfühlt es, im besten Fall man erfühlt und erkennt es. Die Selbstverantwortung bekommt Boden unter den Füßen. Aber vorher muss man sich der eigenen Selbstverantwortung gestellt haben. Man kann Schlechtes nicht zur Gänze verhindern. Dazu ist das Schlechte, ob nun auf 2 Füßen oder in anderer Form erfühlt zu stark prozentuell anwesend. Man kann aber durch den wirklichen Wunsch, sich selbst zu helfen in die Heilung seines wahrnehmenden Werkzeugs finden. Die meisten kennen den

Spruch, man kann sich nicht
riechen. Was ist nun mit jenen,
über jene unsere Gefühle
Warnsignale aussendet, die
Informationen darüber bringt
der Beobachter. Der Beobachter
hat kein Gefühl, er gibt dem
Gefühl das Wort, die vollendete
Sehkraft. Der Beobachter
entwickelt sich ab einem
gewissen Zeitpunkt der abhängig
ist von der Entwicklung des
Gefühls. So oft man nicht zu
seinen Gefühlen gestanden ist,
so oft muss man zu ihnen stehen,
das ist der Ausgleich, den es
braucht, um in dieses, welches
Jetzt zu kommen, der den
Beobachter erst möglich macht.
Das letzte Stück des Weges
gehen diese

Wahrnehmungsebenen dann miteinander, es ist ein Vervollständigungsweg, ein Vereinigungsweg. Der Beobachter ist nur eine Hälfte des Ganzen und stellt im Ganzen das männliche Prinzip dar und untersteht dem Magnetismus des Herzens, er stellt nicht nur, er IST das männliche Prinzip. Es ist – eine Hälfte des ICH BIN. Dieses Prinzip gibt es innerhalb von uns. Und die Vereinigung des weiblichen und männlichen Prinzips in uns, getragen vom Herzen, zu einem, bildet das höhere Herz.

So ist das Yin-Yang-Symbol eigentlich ein Symbol der Getrenntheit und weil wir gerade dabei sind, möchte ich Euch aufzeigen, was Symbole machen. Es wird ja viel mit Symbolen gearbeitet. Obwohl umso näher dem höheren Prinzip, umso weniger Symbolik auch in Form von Tempeln und Co. Umso weiter entfernt vom höheren Prinzip, desto mehr Symbolik in jeglicher Form. Da das höhere Prinzip, das Leben selbst ist, braucht es weder Symbolik noch Tempel. Das Leben ist der Tempel selbst und es braucht keine Symbolik, um auf das Leben zu verweisen, weil es IST. So kann es Symbole geben, die Euch etwas sagen könnten. Doch das sind wenige und sobald Ihr diesen Impuls verstanden habt, braucht es dieses Symbol nicht mehr. Und auch trotzdem gehören diese

Symbole auch zu den Bindungssymbolen, weil, siehe oben, das Leben keine Symbole und Tempel braucht. Eine weitere Form der Bindungssymbole ist double bind Symbole, wo etwas anderes draufsteht, als drin ist. Dann die Symbolik, die offen zeigt, dass die Niederfrequenz verherrlicht wird. Dann pervertierte Symbolik, z.B. ein Herz mit einem Namensschild und einem Messer drinstecken, sowie symbolische Bauten, die auf einen Inhalt verweisen (z.B. das Pentagon). Und bei allen Symbolen miteinander geht es ums Zeichen, des Zeigens, was da ist und dass es da ist, nämlich die niedere Ordnung in

inhaltlicher und symbolischer Form. Wenn man symbolisch etwas zeigen möchte, ist es ein Zeichen.
Nehmt mal an, Euer Radiogerät empfängt solo uno nur Jazzkanäle, Ihr schaltet auf einen anderen Kanal, andere Jazzmusik, aber auch Jazz. Es geht dabei in keinster Weise von Ihrer Seite, irgendwo Euch die Gelegenheit zu bieten zum Erkennen, sondern nur, um ihnen, bei der Symbolik und den Zeichen, einen Machtkick zu verleihen. Siehe Malerkübel, und diese Bindung gilt es in all seinen Facetten zu erkennen und loszulassen.

Einzig allein Ihre Machtgeilheit
bringt sie dazu, sie verhöhnen
Euch, sie sind amüsiert über
Eure Blödheit und verachten sie
zugleich. Genau wie es sie
befriedigt, Euch zu ärgern.
Situationen zu inszenieren und
Eure Gegenwehr gegen Euch
selbst zu benutzen, ist nur ein
Kick von vielen.
Zu erkennen gibt Euch die
Möglichkeit nicht mehr
unbewusst auf dem Schachbrett
zu stehen, nicht mehr unbewusst
zum Spielzug eines Spielers zu
werden. Es gibt
Euch Gelegenheit öfters die
Bühne zu verlassen und meiden
zu können. Wirklich ganz von der
Bühne zu verschwinden bei
diesem anwesenden Spektrum

liegt da, wo Eure Erfahrung Euch hinbringt.

Was 99,9 % des äußeren Raumes einnimmt, wird schwer und soll einstweilen da stehen bleiben, wo die eigenen Erfahrungen stehen. Aber eines ist wichtig zu verstehen, losgelassen zu haben liegt jenseits von Ablehnung im Sinne von Kampf und Annahme im Sinne von Verbindung. Was ist der Unterschied zwischen Bindung und Verbindung? Eine Verbindung ist innerlich, eine Bindung äußerlich.

Nehmen wir ein Weizenfeld, das für 100 Leute ausreichend ist, die wollen sich davon ernähren, das würde sich so auch ausgehen.

Man kann nicht mehr essen, als man essen kann. Man kann aber mehr horten, als man essen kann. Das Gehortete verkleinert oder aber beseitigt die Mahlzeit eines anderen. Zinsen auf Schulden beseitigt wiederum die Mahlzeit anderer.
Jetzt habt Ihr Schulden. Schulden kommt von Schuld. Wessen Schuld ist aber die Schuld? Die Schuld ist die Schuld des Guthabens und beides ist ein Indikator für das künstlich, lebendig gehaltene Niederfrequente. Und dieses Wasserrad muss am Laufen gehalten werden, Überfluss und Mangel zwei Seiten derselben Münze der zahlreichen Münzen, des Minus-Minus-Systems. Und

so müssen diese zahlreichen Strukturen durchgehend am Laufen gehalten werden, um die Spannung zu halten. Die Spannung des Illusionsgitternetzes. Denn gerät die Spannung in Stress, in Schwankung, können Risse auftreten und diese Risse lassen die wahre, natürliche Energie durch das dahinter liegende Wahre, hinter dem dahinter liegenden Falschen = Niederfrequenz = Lüge = Unterlebendigkeit.

Es ist widernatürlich, widermenschlich, kehrseitig, künstlich pervertiert, im Sinne von aus dem Lot gebrachter Mitte, eine Herrschaft der

Extreme. Die aus dem Lot gebrachte Mitte ist eine künstliche Polarität, ein künstliches Plus-Minus, das wahrhaftig ein Minus-Minus System ist.

Also, ich habe nicht vor, 10 Jahre um den heißen Brei herum zuschreiben, doch es ist übertragungstechnisch manchmal gut, nicht zum Stein zu gehen, der ins Wasser geworfen wird oder wurde, sondern sich über die Kreise, die er im Wasser macht, an den Stein anzunähern und dann wiederum den Stein selbst zu betrachten, andere verwenden wiederum das Sinnbild des Kaninchenbaus, wobei der wirkliche Ausgang aus diesem Kaninchenbau nicht der Eingang ist, sondern der tiefste

Punkt des Kaninchenbaus. Es geht nicht darum, die Strukturen des Gewordenen zu erkennen, sondern auch die dahinter liegende Energie zu begreifen, das Wesen der bestehenden Welt. Um den Wald wirklich als Wald zu begreifen, braucht es die Perspektive von oben, das Gesamtbild jeden einzelnen Baums, den Ihr erfassend betrachtet, ist ein Zentimeter nach oben in Richtung der Perspektive des Gesamtbildes. Dem Erfassen des Gesamtbildes folgt ein Loslassen, ein Perspektivenwechsel hat einen Frequenzwechsel zur Folge. Ein Frequenzwechsel einen Perspektivenwechsel.
Schauen wir uns gemeinsam noch ein paar Bilder an, eines z.B. welches islamkritische Patrioten

gerne mögen. Auf der einen Seite eine Muslima mit Vollverschleierung und auf der einen Seite eine nicht mit Reizen geizende Frau samt Bierkrug. Steht Ihr auf der Seite der Muslima, ist die busige Bierkrugfrau das Schlechte, das Minus. Seid Ihr auf der anderen Seite, ist die Muslima die Schlechte, das Minus und die Andere Plusseite. Das ist das künstliche Plus-Minus. Das man auch wieder mit der Münzform betrachten kann, 2 Seiten desselben. Indem Ihr in die Mitte kommt, kommt Ihr perspektivisch aus dem künstlichen Plus-Minus-System. Weil, bei diesen Münzen handelt es sich immer um 2 Minusseiten,

die aufgebaut sein können, indem es einfach umgedreht wird. Dann kann man es nochmal verschränken, dann wird ein „X" draus. Und das wiederum ist das Maß vom Baumeister. Auf der einen Seite die verhüllte Frau, auf der anderen Seite die Halbbusen herzeigende Frau. Beide Seiten sind Extreme. Die aus dem Lot gebrachte Mitte. Einfach das Seitenverkehrte des Andern. Und jetzt wird das ganze verschränkt. Auf der Seite der Verhüllten steht die Reinheit und auf der anderen Seite steht die Unreinheit. Und beides stimmt nicht.
Denn Reinheit kommt von innen.
So können die Aspekte von Reinheit und Unreinheit auf

beiden Seiten liegen. Reinheit kommt von Herzen. Sowie eben auch ein wirkliches Lächeln. Weiblich Liebliches, weiblich Feines ist im Error-Kasten versandet.
Genauso wie man Jungfräulichkeit nicht als Gradmesser für Reinheit verwenden kann. Der einzige Gradmesser für Reinheit ist das Volumen des Herzens. Und so muss auch die Jungfräulichkeit nicht unbedingt was mit Sexualität zu tun haben. So kann man Nicht-Sexualität nicht mit dem Jungfernhäutchen nachweisen. Weil es ja so einige sexuelle Praktiken gibt, wobei das Jungfernhäutchen unangetastet bleibt. Jetzt gehen

wir auf die andere Seite. Seine Busen zu zeigen, bedeutet nicht weiblich frei zu sein. Sondern bedeutet, das gleiche wie auf der anderen Seite der Schleier. Nämlich Gefängnis in pervertierter Weiblichkeit. Mit geöffnetem Herzen mit einem Mann zu schlafen, erhält die Jungfräulichkeit, auch wenn sie nicht mehr mit einem Jungfernhäutchen gegeben ist. Und auf der anderen Seite macht es eine Frau, die aus welchen Gründen auch immer mit einem Mann schläft oder schlafen muss, die seelischen Empfindungen verschließen muss, da fühlt man sich als Frau als

Nutte, auch wenn es der eigene Ehemann ist. Verschlossene Empfindungsebenen erzeugt bei einer Frau eine Vermännlichung der negativen Art. Das Erreichen der Mitte bei diesen Strukturen zeigt einen Perspektiven- und Frequenzwechsel auf. Das ist die künstliche Dualität in der künstlichen Polarität. Solche Strukturen kann man grob erkennen und immer kleiner werdend bis zur einzelnen Person. Plus-Minus-Polarität ist immer künstlich.

Das anwesende System ist ein Minus-Minussystem mit künstlicher Plus-Minus Polarität. Um Euch noch eine Schicht

(Ebene) tiefer im Sinne von höher zu führen. Betrachten wir uns die bildhauerische Kunst der Antike und dessen Weiblichkeit. In dieser Kunst wird ja des Öfteren Weiblichkeit halbnackt oder nackt dargestellt. Und sooft man auch hinschauen mag, manche künstlerische Arbeiten haben das Wesen des Wesentlichen gekannt und in Form gebracht, denn sooft man hinschauen mag, ist diese weibliche Nacktheit nicht wirklich nackt zu kriegen. Und genau um das Wahrnehmen dieser Weiblichkeit geht es. Nackte Frauen müssen nicht nackt sein in Anlehnung Ihres inneren Wesens in Verbindung mit ES dem Wesen. Sowie eine verhüllte Frau nackt sein kann in Anlehnung Ihres Wesens an dem

Wesen ES. Nackt im Sinne von ihrer Niederfrequenz, sprich einfach eine böse Frau. Sinnbilder über Sinnbilder, der Wolf im Schafspelz, das schwarze Schaf unter weißen, das auch eines sein kann, aber auch das einzige weiße unter den schwarzen. Nackt ist was nackt ist in Anlehnung des Wesens ES, verhüllt ist nackt in Anlehnung des Wesens ES. Nackt ist angezogen in Anlehnung an ES dem Wesen. So ist aber auch in Anlehnung an das Wesen ES alles im Verborgenen ob nackt oder verhüllt. So ist auch nackt oder verhüllt in Anlehnung an ES dem Wesen im Verborgenen. Mit quadratischen Augen kann man

das eine nicht erkennen und das andere nicht (mehr) erschauen! Unbewusste Ebene des eigenen Energiesystems und des Anderen.
Der Ausstieg über das Symbol der Münze, die Bilder der beiden Münzseiten verschwimmen, sie leeren sich, die glatten Münzseiten beginnen im glatt polierten Goldglanz zu schimmern, die Münze nimmt den seitlichen Platz ein, Ihr seht die Mitte, den Mittelrand, Ihr seid nicht mehr Teil der Münze. Euer Begreifen hat Euch in eine andere Perspektive gebracht. In die Perspektive Eures wahren Seins. In die Harmonisierung in die Mitte.

Euer wahres Sein ist auch nicht nur zum geringsten Teil, Teil des künstlichen elektromagnetischen Minus-Minus-Systems, das manipulativ künstlich das Bewusstsein in einem Minus-Plus-Feld gefangen hält.

Wie aber ist das nun mit +-, --, ++ und den (materiellen) Naturgesetzen. Der künstliche Magnetismus, der natürliche Magnetismus, der höhere Magnetismus. Künstliche Welt, Erde Jetztzustand, Vergeistlichung, 0 (Null), Vergeistigung.

Das Gefängnis des Bewusstseins ist ein geistiges Gefängnis, ein künstliches +-, Gut und Böse (der Baum der Erkenntnis ist 0)

Der Baum des ewigen Lebens = Urquelle, das gibt es nicht, doch weil es Alles gibt, so gibt es auch den Fehler, siehe Zapfenrechnen. Die Zahl ist oben und unten dieselbe, das Gleiche. Das Gleiche kann man übereinanderlegen, 0.

Das Gleiche kann aber auch überall sein, räumlich wie zeitlich. Gehen wir zum Zapfen zurück, er ist sich nicht ausgegangen. Also ist irgendwo ein Fehler, es ist etwas falsch. Ein Fehler heißt, es fehlt was. Bei einem Rechenfehler ist etwas zu viel, weil wo anders etwas fehlt. Bei einem Rechenfehler ist etwas zu wenig, weil wo anders etwas zu viel ist.

Ein Zapfen ist nichts anderes als ein Gegenrechnen (Probe). Die Probe geht in den Vergleich, ein Vergleich ist keine Wertung, zeigt aber einen Fehler auf. Somit sind wir beim (möglichen) Ausgleich. Der Ausgleich beseitigt den Fehler.
Somit ist ein Fehler auch ein Mangel. Ein Mangel entsteht also nicht nur bei einem Zuwenig, sondern auch bei einem Zuviel.

Schach, das Spiel der Könige.
Was gibt es nicht? Könige.
Erhelle die Dunkelheit! Lasst dem König, was des Königs ist.
Es gibt die allgemein menschliche Ebene (Kollektiv) und die spezifisch menschliche Ebene

(das Individuelle im Gleichwert). Dann gibt es die künstliche Ebene (Hierarchische Gleichheit im Ungleichwert). Somit sind wir zu den sogenannten Reichsbürgern abgebogen. Abgebogen, weil andere Ebene. Und diese Ebene kann man nochmals teilen in einen Zapfen mit Rechenfehler und einen Zapfen ohne Rechenfehler und da könnte man noch ein wenig in die Tiefe gehen. Man rechnet beide Zapfen und dann geht es oberhalb der beiden Zapfen weiter.
Aber das nur so am Rande, wir sind ja bei den Reichsbürgern. Die Reichsbürger sprechen ja von Mensch und Person. Mensch - natürlich, Person - künstlich.

Philosophie: Der Mensch steht in Verbindung mit dem Schöpfer.
Da der Schöpfer
Alles ist, kann eine künstliche Hierarchie nicht über dem Schöpfer stehen. Die künstliche Hierarchie hat Gesetze, an die sich per Strafandrohung gehalten werden muss, ansonsten folgt die Strafverfolgung, das Strafmaß, Strafvollzug. Somit wäre das Lot wieder ins Lot gebracht. Man braucht bei Vielen nicht extra darauf hinzuweisen (Erfahrungen), dass Recht, Rechtsprechung, oftmals recht wenig mit Gerechtigkeit zu tun hat. Denn, wenn es die Gerechtigkeit geben würde, würde es die Welt in dieser Form nicht mehr geben. Aber für

was gibt es denn die Menschenrechte? Die sind ja auch gesetzlich verankert. Künstlich verankert im künstlichen Gesetz. Der angesprochene Mensch in diesem Gesetz ist aber nicht der Mensch, der in Verbindung mit dem Schöpfer steht. Im künstlichen Konstrukt gibt es nichts, was in Verbindung mit der Wahrheit des Schöpfers, dem Alles was ist, steht. Kann ja überhaupt nicht möglich sein. Denn, wenn die Wahrheit kommen würde, müsste die Lüge gehen. So verschicken die Reichsbürger ihre Grundlagen an das hierarchische, künstliche System. Kann man schon machen, wenn man die Antwort verträgt

oder wenn es im Seelenplan liegt, sich zu beweisen. Wenn man sich bewiesen hat, hat man sich bewiesen. Man ist in seinen Augen (den eigenen) bewiesen. Man ist also Zeuge von sich selbst geworden. Zeugnis ablegen. Ihr könnt Zeugnis ablegen. Ihr könnt Zeugnis ablegen über das Bewiesene (Schöpfer) und das Unbewiesene (künstliche Welt).
Ihr würdet Zeuge sein, Ihr seid Zeuge. Das Bewiesene ist immer ein Lichtstrahl des Schöpfers in die Dunkelheit der Welt. So möchte (werde, habe ich, das ICH BIN, das ich bin in der ewigen Gegenwart des Seins) ich Zeugnis ablegen, abgeben.

Das sich beweisen, das Beweisen, hat die Fähigkeit, das auf das künstliche, fokussierte Bewusstsein mit einem Funken zu erhellen (möglicher Exit). Zurück zu den Reichsbürgern. Das sich selbst Bewiesene ist aber nicht das Bewiesene selbst. Er legt Zeugnis ab in seinem Namen. In wessen Namen sprichst du, in seinem

Namen. Nachdem folgt ein Reset. So mancher Reichsbürger ist wieder ins Lot gebracht. Die menschliche Ebene sollte kein Spiegel für die künstliche Ebene sein. Sollte es doch so sein, hat die menschliche Ebene ihren (angestammten) Platz verlassen und somit nicht mehr ihr zuzählig. Ihr habt Euch selbst verlassen (ICH BIN). Ihr seid in die Macht gegangen, anstatt in der Kraft zu bleiben. Lasst dem König, das, was des Königs ist. Denn, wenn Ihr in die Macht geht, seid Ihr in seinem Reich. Und in seinem Reich gibt es einen König (Könige) und Ihr seid nichts als ein Bauer in seinem Reich. Und ein König möchte von einem Bauern nicht in Frage gestellt werden (Lot). Lasst dem König, was des Königs ist. Die künstliche Hierarchie tauscht sich über die Ebene der künstlichen Hierarchie aus. Und so ist auch der Energiefluss mal stärker oder schwächer. Der Energiefluss zeigt nicht nur den Austausch, sondern auch die Fülle der Masse der Energie. Die nach oben hin, siehe (Dreieck, Spitze nach unten) umgekehrtes Dreieck, immer massiger wird (Austausch/Fülle). Umgekehrt betrachtet, nach unten hin immer ausgedünnter in Austausch und Fülle. Diese beiden Symbole zusammengeschoben, ergeben wieder andere Symbole. Die menschliche Ebene tauscht sich auch miteinander aus. Dabei handelt es sich aber um einen durchgehenden Ton. Deswegen ist es wichtig, bei sich selbst zu bleiben, um diesen Ton in Euch zu verankern, ihn zu stabilisieren und somit in die Verselbständigung zu führen. Die Verselbständigung ist ein Klick und ist tragend. **Dieses**

Tragende lässt dem König, was des Königs ist. Kann dem König aber auch nichts mehr geben, was des Königs nicht ist. Und diese zwei Sätze sollten in Euch Platz nehmen. Platz genommen im Sinnbild.

Und der gefallene Engel nimmt wieder Platz neben dem Thron des Schöpfers ein. Er war der verlorene Sohn, der heimgekommen ist, auf der anderen Seite der Sohn, der nie weg war. Er konnte bleiben, weil der andere ging. Weil der, was blieb, schon wusste, was der andere erst erfahren wird und ihn wieder zurückführt. Der verlorene Sohn war nie wirklich verloren, denn es gibt nur einen Sohn. Der dagebliebene und der

zurückgekommene =
Sohn/Tochter des Schöpfers lebt, lacht, liebt in wessen Namen, im Namen des Sohnes, der im Namen des Schöpfers gesprochen hat, spricht. Es ist irrelevant, ob Jesus ein Mann oder eine Frau gewesen ist, denn in der höheren Form und Ordnung ist das Männliche mit dem Weiblichen zu gleichen Teilen im Gleichwert vereint und durch das höhere Herz verbunden und es kann deshalb zu keiner Ungleichheit kommen.

Die nächste Betrachtung wäre die äußere Form oben und die innere unten. Eine bisschen schwierige Vorstellung, diese lineare Form zu betrachten. Denn die äußere Form der Welt

liegt im Stehen betrachtet
künstlich vor Euch (wenn man von
einem Flugzeug absieht) also eine
lineare, vor Eurem Körper
beginnend —|, was liegt dann
linear hinter
Euch? Manche würden jetzt
sagen, die Vergangenheit. Ok,
dann liegt hinter Euch die
Vergangenheit. Dann würden
manche in logischer Folge sagen,
die Zukunft liegt vor Euch.
Schauen wir noch mal was liegt
vor Euch. Die Gegenwart. Ach na,
schau jetzt sind wir in der
Gegenwart. Oder doch nicht.
Ok, hinter Euch liegt die
Vergangenheit |—. Dann liegt vor
Euch aber nicht die Zukunft.
Weil auf einer linearen Geraden
nicht Verschiedenes liegen kann.
Eine lineare Gerade kann nur aus

demselben bestehen —.
Ansonsten braucht die Lineare einen Punkt •. Wo nehmen wir den jetzt her. Was ist um Euch herum? Der sich ausdehnende Raum. Ihr befindet Euch in einem Zimmer, das Zimmer in der Wohnung, die Wohnung im Haus, oder das Zimmer im Haus (mit einem Umgebungsraum beginnend), das Haus in der Stadt, die Stadt in Eurem Land, das Land auf Eurem Kontinent, der Kontinent auf der Erde, die Erde im Universum, das Universum, ähm, ähm, ähm, kommen wir da äußerlich weiter, nein nicht wirklich. Ja zum Schöpfer, aber das entzieht sich unseres Blicks. Also machen wir für den Schöpfer mal einen

Punkt. Den mussten wir sogar linear machen. Aber das ist ein sich ausdehnender Raum und ein sich ausdehnender Raum ist rund, genau genommen spiralförmig ausdehnend, nach oben, obwohl der Weg gerade durch in der Mitte verläuft. Also gerade durch und über die Ausdehnung der Spirale möglich. Aber der Punkt das ist ja nur einer. Also entweder kann er nur da oder da sein oder zeitgleich. Bleiben wir mal bei zeitgleich. So da sind wir jetzt. Von dem gemeinsamen Punkt, der aus zweien besteht. Dann Punkt 3, dem wir dem Namen Schöpfer geben können, das Unschaubare. Von dem Punkt gerade mittig wieder zurück. Vom Universum zur Sicht auf die Erde, auf einen Kontinent, direkt ins Land, der Stadt, der Wohnung, des Zimmers, Scotty hat gebeamt. Da sind wir nun wieder, was liegt um uns herum? Die Gegenwart. Oben, unten, vorne, hinten, überall Gegenwart. Aber da war doch was? Ah, ja, die Stadt, die Stadt in der Gegenwart und wer ist jetzt da der Punkt? Ihr. Obwohl so die Gerade nach oben, ist man doch geistig gegangen und da herunten steht man dann körperlich, in dem Fall jetzt geistig körperlich. Jetzt gehen wir mal dem Geistigen nach, woher kommt diese Vorstellungskraft. Ist diese Vorstellungskraft schneller, langsamer als wir. Ja sie ist eindeutig schneller als wir und liegt vor uns und um uns gleichzeitig und noch in der Gleichzeitigkeit in uns und ohne, dass man in einen abgegrenzten geistigen Raum schaut. Dann schauen wir uns mal die Phantasie an. Die ist eindeutig langsamer als wir. Kommt aus uns und von uns. Hier ist sogar für den Verstand (mentale Ebene) eine eindeutige Trennung möglich. Oder wartet mal, ist das jetzt der Verstand? Nein, nicht wirklich. Der Verstand alleine könnte sich so weit gar nicht überblicken. Welche Ebene unseres Selbst ist das denn dann? (Zapfen rauf, Zapfen runter) der Beobachter, na, schon, aber auch nicht alleine.

Das Gefühl, ja überprüft, auch spürbar anwesend. Jetzt bekommt das Ganze ein Vorhäkelchen. Ja, die Gemeinschaft all dieser Ebenen auf einen Punkt gebracht. Eine runde Geschichte braucht keine Ecken mehr.
Und ab zum nächsten Zapfen der da ruft, zurück zum linearen System. Wo ist aber dann da die Zukunft? Da brauchen wir jetzt einen weiteren Strich (3 Strich-Stern) die Vergangenheit benötigt einen weiteren (4 Strich-Stern). Ja das ist jetzt ein Sternchen. Was machen wir denn mit diesem Punkt, machen wir da jetzt einen Kreis rundum, nicht dass der größer wird und nicht mehr aufs Blatt passt und

uns am Ende vielleicht noch mit,
durch seine Größe erschlägt.
Nein, die Angst brauchen wir
nicht haben, der wird nicht
größer.
Ja dann ist da in der
Betrachtung, wenn sich da jetzt
nichts energetisch ausdehnt, der
Rahmen wohl richtig. Der Kreis
würde ja schon wieder eine
Ausdehnung andeuten. Dann ist
da wohl ein Viereck dazugehörig,
= ein Stern im Viereck, dann passt
das ja. Ein Kreis, der sich nicht
ausdehnt, ist im übertragenen Sinn
ein Quadrat/ Viereck, die Quadratur
des Kreises.
Haken √ = unvergeistigt und
symbolisiert die Materie.

Und weil das Erkennen gerade so viel Spaß macht, kreiere ich für das künstliche System das Vereinigte Gerätechakra.
Obwohl kreieren kann man nur, was schon da ist, vom ungeoffenbarten Raum des Alles, was ist, dem Sein = Wahrheit.
Also ein Zapfen, der nicht dem Kreieren zuordenbar ist, weil es das ja schon gibt und im künstlichen Raum, also ist der Zapfen ein Entschlüsselungszapfen und ein Tendenzrechnungszapfen. Ein Entschlüsselungszapfen ist ein Zapfen, der künstliche Strukturen dechiffriert oder aber auch ein Tendenzausrechnungszapfen, der bestehende künstliche

Strukturen fortlaufend in die Zukunft hochrechnet. So kann man die Zukunft dieses eingeschlagenen Weges am besten definieren. Und diesen Zapfen aus der Familie der genannten Zapfen habe ich den Namen vereinigtes Gerätechakra gegeben. Nun fangen wir an, die einzelnen Puzzle-Teile umzudrehen und schauen ohne Vorlage was jetzt da rauskommt. Wir haben einen Trend zu Bitcoins (= Kryptowährung, ein künstliches Zahlungsmittel = digitale Währung) wir haben die Schweden, die uns vormachen, wie toll es ist, gechippt zu sein. Wir haben die Chinesen, die Ihr totales virtuelles Belohnungs-

/Bestrafungs-Kontrollsystem aufgezogen haben.
Wir haben eine weltweite Handynutzung, die bei manchen so weit geht, dass, wenn sie ins Handy starren, sind sie so abwesend, fast wie weggebeamt (drin), dass kein Anteil mehr von ihnen im Außen wahrgenommen wird. Manche sind schon so planlos durch diese Handynutzung, dass sie per Routenplaner ein Kaffeehaus suchen, und verwirrt es nicht finden, obwohl schon davorstehen. Wieso sollte man den eigenen Intellekt fragen.
Der Intellekt wird nicht benutzt und an diese Stelle tritt die Suchmaschine. Daher nimmt der Intellekt rasant ab. Das führt

dazu, dass es vor allem bei
Jugendlichen nur mehr eine
Antwort auf alles gibt: Google.
Was aber die Nutzung der
künstlichen Medien bringt, eine
Reizung der
Erregungspunkte. Wo bringt uns
das alles hin?
In eine künstliche Realität in
einer künstlichen Realität.
Doppelt gemoppelt. Labyrinth
des Wahnsinns.
Mal kurz eine Frage: seid Ihr
Euch eigentlich sicher, ob Ihr in
irgendeiner Realität seid, ob nun
künstlich oder nicht künstlich,
vielleicht steht Ihr irgendwo und
habt einen Helm auf und Ihr
steckt gerade in einem Spiel. Da
der Helm defekt ist, habt Ihr
vergessen, dass Ihr in einem

Spiel steckt. Oder vielleicht ist es ja die Aufgabe des Spiels, im Spiel sich daran zu erinnern, dass Ihr in einem Spiel steckt. Und ganz davon zu schweigen, dass diese Spiele Erregungszustände bringen. Geht man aus dem Spiel heraus, ist der Erregungspunkt weg. Die scheiß langweilige Realität wieder da. Suchtfaktor hoch 100! Die Wege der künstlichen Geilheit. Ok. Dann wo geht es sonst noch hin? Alle sind gechippt, ohne Chip läuft gar nichts mehr. Der blaue Himmel, die Blumenwiese, der Vogel im Gebüsch usw. ist so interessant wie der Müll im Mullkübel. Im Grunde genommen ist dieser Zustand bei Vielen schon erreicht. Wenn man in ein öffentliches Verkehrsmittel einsteigt, sind bereits 80 % der Leute am vereinigten Gerätechakra angeschlossen. Die von der Politik der Masse übergestülpten Narrative und der dadurch gesellschaftliche Druck, erledigen den Rest. Und um die allgemeine Sicherheit wieder gewährleisten zu können, die von der Politik selbst vorher zerstört wurde, wird uns mit totaler Überwachung geholfen. Da denken sich Manche, es gibt ja noch ein paar Apfelbäumchen und Pilze im Wald, dabei ist grad auffällig, dass die meisten sich selbst vermehrenden Pflanzen gegen sich nicht vermehrende Pflanzen ausgetauscht werden.

Was ist denn noch auffällig, dass die Bienchen ausgerottet werden, weil nicht, dass noch einer draufkommt, sich die Brennnessel für den Brennnesseltee aus der Wiese zu holen, statt im Geschäft oder aus der Apotheke. Langt es ja schon, dass es manche Menschen gibt, die Fallobst aufklauben, statt im Geschäft zu kaufen. Ja wo kommen wir da denn hin, wenn die Leute Ihre Wegerichgewächse für die natürliche Medizin aus einer öffentlichen Wiese holen, anstatt dafür Geld zu bezahlen. Bei Saatgut werden wir Euch auch einen Riegel vorschieben. Und wer braucht schon einen blauen Himmel? Und wer weiß, was die Sonne noch für Spinnereien bei den Menschen auslösen würde, da müssen wir sie doch beschränken. Aber wir können das ja nicht, denn Chemtrails gibt es ja keine. Aber Geoingeneering, denn wir wollen Euch ja vor der Klimaerwärmung schützen. Deswegen verbieten wir jetzt auch den Diesel. Das ist ja doppelt fein, weil dann brauchen ja alle ein neues Auto, oder Umbauten und das generiert wieder Geld. Und das ist das, was wir gerne tun, Geld generieren. Und zu Eurer eigenen Sicherheit schaffen wir nun das eigenständige Fahren ab. Dafür schicken wir Euch auf die Schipisten, dieses Sterben macht doch viel mehr Spaß und bringt Geld in die Kassa. Und die Luft, die wird Ihr dann auch noch zahlen müssen die Ihr einschnauft und verpestet. Falls Ihr Nachwuchs wünscht, solltet Ihr eine dicke Brieftasche haben, weil wir verlangen eine Atemluft-Vorauszahlung für das Kind. Dafür belohnen wir Euch damit, dass Ihr nicht nur vorgeburtlich, sondern auch nachgeburtlich abtreiben könnt. Und noch dazu, dass wir ein Kind zur Freigeschlechtlichkeit und Frühgeschlechtlichkeit als Erziehungsmaßnahme bereits im Kindergarten vorgenommen wird. Und jede freundschaftliche Zuneigung ist als Homo-Sexualität zu werten. Und sollte das Euch nicht schmecken, gibt es ja sonstige 70 Geschlechter laut Wikimania. Aber bitte nicht Mann und Frau sollte Eure erste Wahl sein. Aber sollte Euch das alles nicht zusagen, gibt es ja die Möglichkeit der Religionsfreiheit. Man trete doch einfach dem Islam bei. Und rette sich selbst vor dem Genderwahn. Dann gibt es auch noch die Massenimigration. Aber kommen wir nochmals zurück zum Diesel. Hat es da nicht geheißen, man soll von Benzin auf Diesel umsteigen, weil dies so umweltfreundlich ist. Gut, dass die Menschen so leicht vergessen. Nein, wir verringern jetzt die Geschwindigkeit auf der Autobahn, das ist Luft verbessernd. Also, wenn ein Auto mit 100 fährt, erzeugt es weniger Dreck, als wenn es mit 130 fährt. Jetzt könntet Ihr denken, dass ein Auto mit 100 länger für dieselbe Strecke braucht als mit 130. Also, das andere gibt mehr Dreck ab in der kürzeren Zeit und das andere weniger Dreck in der längeren Zeit. Die Strecke die sie durchfahren ist gleich lang. Was könnte da unterm Strich rauskommen. Nicht viel, außer lukrative Strafzettel und ein paar begehrte Systemposten. Übrigens, weil wir grad dabei sind, was ist da mit den Flugzeugen am Himmel, war da nicht was? Es gibt zwar keine Chemtrails, aber wir können die

Stricherlen zählen, weil Flugzeuge da oben fliegen. Wieviele Autos können da fahren, für den Ausstoß eines Flugzeuges, eines Schiffes? Am besten mal nachgooglen. Man kann sich nur wundern, dass das nicht thematisiert wird. Und wie war das mit der Atemluft? Was wird da abgeholzt auf der Erde, wie nennt man diese Fläche? Die grüne Lunge. Das thematisieren wir nicht, weil das hat nichts mit Nichts zu tun. Bleiben wir gescheiter bei den Elektroautos und dem unselbständigen Fahren. Vermüllen wir die Meere, schmieren uns die Nachgeburt ins Gesicht, hoffen dass uns der

Arzt den Kaiserschnitt näherbringt, die schmerzhafte Geburt zu ersparen. Hoffen wir, dass wir schnell einen Platz in der Krabbelstube bekommen, damit nicht unsere Karriere flöten geht. Hoffen wir, dass keine Krise kommt und ihnen vielleicht die Chips ausgehen und wir ungechipt nicht mal an Wasser gelangen, weil der nächste Fluss oder Bach bereits irgendwohin verkauft ist und wir noch Diebstahl begehen, und uns nicht mal mehr auf den nächsten Berg retten können, weil der gehört ja den Chinesen. Und der nächste den Amis. Was ist denn dann noch frei? Die Luft ist es nimmer, und als Fußgänger kann man noch den Gehsteig benutzen, und gewisse öffentliche Grünanlagen. Ich sehe schon, das geht aber nicht auf Dauer. Deswegen führen wir die öffentliche Gehsteigs- und Rasenbenutzungsgebühr ein und die dazu gehörigen Überwachungsorgane. Wenn Ihr Euch das nicht leisten könnt, ist es Euer Problem. Gibt noch immer die Möglichkeit Sozialhilfe zu beantragen. Was ist denn noch frei, schauen wir mal, was können wir noch vermarkten und kontrollieren, verdrecken, da sollten wir uns wieder die Chinesen als Vorbild nehmen. Da gibt es Zuneigungsagenturen. Das übersteigt das Nuttengewerbe bei Weitem. Braucht Ihr Zuneigung oder Streicheleinheiten, ruft an bei 000600. Was? Zuneigung gratis gibt es in Zukunft überhaupt nimmer. Da braucht man nicht mehr viel zu tun, Euer Herz liegt eh schon in den letzten Zuckungen. China hat überhaupt viele interessante Ideen. Von der alten Einkind-Politik mal abgesehen. Wo doch jeder einen Jungen haben wollte. Und man auf der Straße Mädchen-Baby-Leichen immer wieder mal finden konnte.

Zwangsabtreibungen und hohe Strafen. Wie man da noch ein Volks-Dauerlächeln zusammen bekommt, das ist eine große Frage. Wie sagte schon einst ein chinesischer Führer, Ihr bekommt keine Freiheit, nur eine, die wirtschaftliche Freiheit. Wo doch Hitler schon wusste, dass Arbeit frei macht. Übrigens, das ganze Geburtszeug ist schon so überflüssig, da haben wir schon einen Plan für die Zukunft. Ob es nun natürliche Geburt oder Kaiserschnitt, ist doch alles überflüssig, gehen Sie ins Zeitalter der Retorte. Ihr braucht keine Schwangerschaftsstreifen, Ihr müsst nicht fett werden, braucht keine Karriereunterbrechung. Wir werden in Zukunft die Systemarbeiter und Systemsklaven im Großraumtank hochpuschen. Da könnt Ihr regelmäßig durch die Scheibe gucken. Und danach in die Disco gehen und Hype, Hype machen. Wir erhöhen das Ganze von der Krabbelstube in die Säuglingsstube. Und vergesst nicht, Ihr habt die Möglichkeit Euer versautes, genetisches Material aufzubessern. Wer will schon kleine, dumme, hässliche Kinder. Wählt aus, aus der super Palette: blaue Augen, braune Augen...

Und mit den Organen werden wir uns halt noch was einfallen lassen müssen. Kann man eigentlich ein Organ aus einem toten Körper entnehmen und einem lebendigen einsetzen? Nein, kann man nicht. Weil, das Organ ist dann tot.

Deswegen entscheidet ja die Medizin, dass einer tot ist, bevor er tot ist. Aber tot ist man dann, wenn man tot ist. Gut, er ist gehirntot, ist er gehirntot, ist er tot. Obwohl die Empfängnis zeigt ein ganz anderes Bild. Leben beginnt mit dem Herzschlag. Aber lieber ein Feld voller Schweine mit Ohren und Nasen, vielleicht wachsen dann innere Organe auch nach, oben auf den Schweinen, auch fragt man sich, wieso manche Leute so lange auf ein Spenderherz warten, während so, wie ein Herr Rockefeller sechs Spenderherzen verschluckt hat. Nein, wir machen Klone und weiden sie aus, wenn wir Spenderorgane brauchen. So ein

Klon ist doch nichts, auch nicht mehr als die Versuchsaffen im Labor. Dann bringt Ihr die Bienen und Schmetterlinge um, weil, die künstlichen Bienen haben eh schon fliegen gelernt. Und vergesst nicht, einer unserer Lieblingskarotten für die Menschheit ist Vollbeschäftigung für ca. 7,75 Milliarden. Wird zwar nie möglich sein, aber das fällt ja wie vieles andere eh nicht auf. Lang lebe der weltweit amerikanische Traum. Die Armut wird nie zu Ende gehen. Seid doch froh, dass Ihr nicht zu denen gehört, die in Ihr leben müssen. Hauptsache es sind

genug da, die die Elite versorgen. Der eine Teil darf so

mitschwimmen, weil das das System, das uns erhält, halt so mit sich bringt. Und der Rest darf verrecken, wie gehabt. Lang lebe der Sozialismus, lang lebe die Demokratie. Und irgendwie sind militärische Ausgaben zu gering, das ist zu wenig lukrativ. Deswegen gehen wir hinaus in das All, stecken unsere Fahne in den nächstbesten Käsekuchen und werden uns aufrüsten für den Kampf gegen die Aliens. Die es zwar nicht gibt, das behaupten wir ja selber. Aber Vorsicht und Kontrolle ist die Mutter aller künstlichen Systeme. Und wie gesagt, es genügt ja alles noch nicht, bis Ihr nicht bis zum vereinigten Gerätechakra aufgestiegen seid.

Na, die höhere Mathematik macht auf alle Fälle mehr Spaß. Im Sinne der Erkenntnis koppelt dann diese spannungslose Spannung beim Entschlüsseln von Niederzapfen irgendeine empfundene Erträglichkeit ins eigene Energiesystem. Denn, wäre ich jetzt dem niederfrequenten System anheimgefallen, hätte ich jetzt bei diesem Zapfen einen machtgeilen Dauererregungsorgasmus. Eigentlich möchte ich jetzt schon wieder eine Pause machen. Denn durch diese Niederzapfen-Zapfen trägt einem auch nicht der Spaß der Erkenntnis auf Dauer drüber. So viel

Disharmonie*, so jenseits des eigenen, inneren Milieus. Es ist einfach unerträglich, unerträglich mit dem niederen Netz interagieren zu müssen, in irgendeine Interaktion treten zu müssen. Das Zapfenrechnen, so wie ich es nenne, dient dazu, die niederen, äußeren und inneren Strukturen auszulesen, in die Vogelperspektive des Waldes zu kommen und zugleich in Abwechslung, höhere Strukturen und in höhere Strukturen einzulesen. Und so kann es auch mit dem realen Gegenüber ablaufen, Höherfrequenzen werden eingelesen und Niederfrequenzen werden ausgelesen. Ihr solltet in die Ermächtigung kommen. In die

Ermächtigung Frequenzen zu lesen, entschlüsseln zu können. In die Ermächtigung zu defragmentieren und zu fragmentieren, Frequenzen auszulesen oder/und einzulesen. Somit interagiert man nur mehr mit und im, weil durch das höhere Netz. Lesen im Augenblick ist. Lesen im Augenblick betrachtet im Lichte von Fülle, Zustand und Zeit, auf dem Weg in die Verselbständigung (Stufe 2)

Stufe 1: Wahrnehmung über das Gefühlsfeld
Stufe 2: Wahrnehmung über den Beobachter. Beim Mann ist es umgekehrt.

Die Harmonisierung und Zusammenführung beider führt zu einer Harmonisierung beider Gehirnhälften, immer im Konvolut mit dem Herzen. Durch diese Harmonisierung des Gehirns geht die Hoheit Gehirn in die Unterordnung, also den angestammten Platz. Manche würden dazu sagen, schraub mal den Kopf ab und trag ihn unter der Achsel.

Stufe 3: Scannen des Gegenübers
Stufe 4: Magnetismus
Stufe 5: Erweitertes Erfahrungs-Spektrum im Magnetismus

Was ich noch machen werde, ist, Euch ein Verständnis um die inneren Strukturen, dem dahinter liegenden Antrieb, das Wesen, zu geben. Ich bin mir sicher, Ihr findet Eure Werkzeuge, findet im Sinne von Aktivierung. Um den Weg der Seele zu gehen, den Weg in die unendliche Heimat Eures Seins. Während Ihr die Spirale hinauf reist, dreht sich die Spirale gleichzeitig in Euch hinein. Ihr fließt mit den Rundungen, spürt den Fluss und werdet zum Fluss selbst, Harmonisierung ist das Ziel des Friedens. Um dauerhaft in der Harmonie des Friedens bleiben zu können, im Frieden der Harmonie, getragen in, von, mit der Liebe.

Jesus: meinen Frieden geb ich Euch.
Nehmt diese Worte, dass diese Worte aufgehen mögen zum Frieden in Euch, verbindet die Worte mit diesem Frieden, spürt, fühlt, fließt, schließt die Augen, während es fließt.
Eure in sich laufende Doppelspirale, Euer Atem bewegt sie ein, runter, aus, rauf, eine rauf, eine runter dreht sich ein, dreht sich rauf - in sich.
Die Harmonisierung Eurer Gehirnhälften öffnet Euren höheren Geist und verbindet Euch mit dem höheren Geist.
Die Harmonisierung Beobachter, Gefühl öffnet Euch für Euren höheren Geist/der höhere Geist umfasst all Eure

Intelligenzaspekte = höhere Intelligenz. Mit einem Autoschlüssel kommt man weit, mit dem Schlüssel Liebe überall hin. Der ganze Weg zu Eurer Vollendung nennt man Harmonische Konvergenz oder die Öffnung des Buches des Lammes Gottes. Euer Schutzfeld ist nun aktiv. Harmonisierung mit sich selbst und Harmonisierung mit seinem Umfeld. Unpassendes geht weg. (Siehe auch Chakra 15 und 16) Ihr solltet in die von der Seele getragene Absicht gelangen, das restkünstliche Programm in

Euch zu deinstallieren, um den Raum zu schaffen, den Rest des natürlichen Programms aufladen zu können, um zu sein, was Ihr

von jeher angestammt seid. Euer SEIN sein. Das Sein Eures SEINS werden, das ICH BIN, das Ihr unbewusst schon seid. Das sich hinauf ladende Programm ist im Bezug zu Eurem SEIN besser als ein Programm beschrieben, das als Eure ursprüngliche Blaupause verstanden wird.
Irgendwie bin ich froh, wenn ich durch die Kapitel über die Verständlichmachung der anwesenden Systemstrukturen, durch bin. Das bringt meine Nerven in Spannung, die es mir erlaubt, möglich macht, positive Energiewellen aufzubauen, aufzuziehen, aufzunehmen. Deshalb muss ich jetzt in der Betrachtung weiterzappen. Mit

diesem Zwischensprung kehr ich zurück zur Betrachtung der Gefühlsebene und des Beobachters.

Wir waren dabei, uns anzusehen, wenn Euer Gefühl das Nichtpassende wegschiebt. Wenn Euer Bewusstsein vom Herzen getragen ist, könnt Ihr in der Betrachtung erfassen, wer oder was Ihr nicht seid und in Folge, was und wer Ihr seid in der äußeren Betrachtung. Das ermöglicht Euch die Möglichkeit, Euch das erste Mal wirklich in Euren eigenen Spiegel zu blicken. Dabei sollten wir die mögliche Wirkung des Magnetismus nicht mit der Ursache verwechseln. Magnetismus lässt dem König das, was des Königs ist. Die Schwingung des Magnetismus begrenzt die elektromagnetische

Schwingung auf ihren eigenen Raum. Wenn sich zwei verschiedene Schwingungen einen Raum (Erde) teilen, wobei sich eine aggressiv gegen die andere zeigt, wird aber eine Raumteilung das Sinnvollste sein. Dieses Sinnvollste geschieht aber von alleine, weil es gar nicht anders sein kann, weil sich der innere Schwingungsraum des einen immer vom Schwingungsraum des anderen entfernt und diese Entfernung lässt auch einen neuen Schwingungsraum entstehen. (obwohl der ja eigentlich schon da wäre). Also durch das innerliche Verlassen entsteht das äußere Verlassen des anderen Raumes, entsteht ein neuer (kann ein anderer betreten werden). Der alte Raum ist immer noch da, nur wird er energetisch räumlich! nicht mehr betreten. Das ist die Wirkung des „Solo uno" bei sich selbst Festhaltens. Freihändiges Balancieren auf einem Strich, welchem Strich, dem Strich der Mitte. Ein Schritt ist die Gewissheit darüber, dass in dieser Welt etwas nicht stimmen kann, nicht stimmt. Die Erkenntnis darüber, das was innerlich in Euch ist, nicht auch außerhalb von Euch ist. Ihr findet keinen wirklichen Spiegel in der Welt. Das lässt Euch ihn suchen. Und da kommt sie, die ultimativ wichtige Frage. Die Frage alleine macht es nicht, das dahinterliegende energetische Bedürfnis gibt der Frage die Kraft, die Antwort (Antworten, Puzzleteile) anzuziehen. Warum ist die Welt, wie sie ist? Und dann stellt sich die Frage (Wer bin ich, was bin ich, warum bin ich).

Ein Bild, ein Spruch

Es gibt viele Bilder, viele Sprüche. Täglich erreicht ein neuer die Menschen, viele Impulse, um die Weltuhr anhalten zu können. Jeder Impuls würde die Frage nach dem WARUM befähigen. Warum ist die Welt wie sie ist? Zahlreiche Puzzleteile gehören zu den täglichen Impulsen. Doch die wenigsten bleiben stehen. Das Gehirn hat keine Schmerzgrenze. Das Gehirn allein bemächtigt nicht. Es entmachtet in seiner Illusion der Macht die wahre Macht, die in der Ermächtigung liegt. Es gibt Hoch- und Niederfrequenzen, eine Parallelgesellschaft, wenn man es so sehen will. Zwei sich noch überlappende Zeitlinien, wer es sehen kann. Die Welt ist nicht die Erde. Während die einen auf der Erde leben, leben die einen in der Welt. Die Erde ist verbunden mit den Menschen, die vom Urschöpfer erdacht wurden, die natürlichen Illuminaten. Die Welt wird gehalten von humanoiden Wesen, die den Welt(en)baumeistern folgen, den sogenannten technischen Illuminaten. Doch die allermeisten sind Mischlinge und es ist jetzt Zeit für Eure Antwort. Es ist nicht die

Antwort Eures Willens, es ist die Antwort, die der Zustand Eures Energiekörpers gibt, Euer Seelenvolumen selbst, dann ändert sich die Welt. Es ist Eure Entscheidung, die Weltenuhr in Euch selbst anzuhalten oder eben auch nicht. Obwohl es Wesenheiten gibt, obwohl es bereits Wesenheiten gibt, die dieses innere Potential nicht mehr haben. Egal, wie viel Leid und Ungerechtigkeit in der Welt geschieht, die Welt läuft weiter, als wäre nichts geschehen, obwohl jedes einzelne Schicksal die Macht hätte, die innere Weltenuhr zum Stehenbleiben zu bringen, zum Stillstand zu bringen. Keine Demo für den Frieden, Gerechtigkeit und

Freiheit bringt Euch weiter. Euer Herz / Seele (Mitgefühl) gibt Euch die Ermächtigung, die Frage nach dem Warum zu stellen. Die Antwort ist das Fundament und sind die Bausteine für die Brücke, um sich zu jenem Wesen zu entwickeln, das sich der Urschöpfer (Urquelle) erdacht hat. Jeder Einzelne, der diese Brücke überquert hat, ist der Welt und der niederfrequenten Welt energetisch nicht mehr dienlich.

Die künstliche Welt braucht Eure Energie, um überhaupt bestehen zu können. Dazu sind die Mischlinge gut. Zu wenig Potential, um über die Brücke gehen zu können, genug, um die

Weltenuhr am Laufen zu halten. Das Himmel- und Höllespiel, das Schachbrett der Welt.
Verwischt die Farben des Spielbrettes, geht in die Grauzone, in den Nebel der Verwirrung, mit dem Vertrauen, mit dem Untergang der Welt in Euch selbst, zur für Euch neuen, doch uralten, weil ursprünglichen, wahrhaftigen, natürlichen Ordnung zu wechseln (Brücke) oder zurückzufinden.
Verändere dich selbst, dann verändert sich die Welt. Mit jedem einzelnen, der die Brücke überquert, wird die energetische Versorgung der bestehenden Welt schwächer und der Kampf der Baumeister sichtbarer. Eure

Antwort ist gefordert. Ich bin, Du bist, Wir sind.

Vor einem Gegenpol davonzulaufen, in einen Kampf einzutreten, auch wenn Ihr auf der Seite der Verteidigung steht, ist sinnlos. Es ist viel besser, man übersteigt den Aggressor. Man entwickelt sich so weit, dass einem die Waffen des Aggressors nichts mehr anhaben können. Magnetismus ist weder ein Aggressor noch ein Angreifer, er IST. In die Wirkung der Ursache geht der Magnetismus aber erst mit vollendetem Herz. Vollendetem (Vorvollendet kommt vor vollendet) Energiekörpers. In die wirkliche Wirkung geht er in der

Zeit danach. Schritt für Schritt. Bei sich bleiben. Es beginnt sich zu teilen. Es beginnt sich zu halten, wenn auch nicht immer und manchmal unstabil. Eure Ahnung ist schon so groß, stark geworden, dass Ihr Euch öfter auch real darin bewegen könnt. Die Ahnung wird zu einem Real ist, was real ist, heranwachsen, weil, jetzt beginnt real zu werden, was in Wirklichkeit real ist. Und diese wirklich reale Wirklichkeit ist erkennend auch Euer wirklicher Spiegel. Hinter sich gelassen habend, die Illusion, sie ist noch da und doch nicht mehr, sie ist nicht in Euch und Ihr nicht in ihr. Ihr seid jetzt hier im Land der neuen Erfahrungen. Macht Euch leer und lasst sie einfach kommen, versucht Euer Inneres in eine freiere Zeit einzustimmen. In eine Zeit, wo Ihr noch nicht wirklich wusstet, wie die Welt ist. In eine Zeit, wo die Hoffnung, die Freude, noch diese Tragkraft hatte, dass Ihr wirklich glaubtet, in der Welt zu finden, was Ihr selbst seid. Error. Ihr könnt Euch gar nicht mehr belügen, Ihr wisst, wie die Welt ist und die meisten Kreaturen in ihr, Ihr könnt Euch nicht mehr täuschend in ihr verrennen. In welcher Form auch immer. Aber ihr könnt diesen unvorbelasteten Platz in Euch finden, der Euch ohne Angst die neuen Erfahrungen bringen kann. Lass sie los. Ihr könnt nichts mehr falsch machen. Dieser neue Raum ist kein neuer Raum, es ist der einzige, den es gibt. Die Reduziertheit hat einen eigenen Raum erschaffen, den es nicht gibt. Es ist eine Isolationshaft, freiwillig für die einen, zwanghaft für die anderen. Neo, du bist ein Sklave. Neo, weißt du denn, dass du ein Sklave bist? So gesehen müsst Ihr nicht wirklich in eine andere Dimension, sondern nur hier an diesem Punkt, zu Eurer Zeit, an Euren Platz, Euren Ort, in den einzigen Raum gehen, den es gibt und das ist im übertragenen Sinn Euer Raum. Denn der, den Ihr gesucht habt, seid Ihr selbst. Wollt Ihr Euch selbst auch in anderer Form kennenlernen, dann bleibt in Eurem Raum, denn wir sind in Deinem und Du in dem unseren, weil es nur den einen Raum gibt und so kann die Geschichte haarige Füße aber hoffentlich nicht zu krumme Nasen bekommen. Grins. Es muss nichts kommen, es ist und war immer schon alles da. Die ewige Reise auf, in, mit der

Spirale. So werdet Ihr Euren Meister finden und es gibt nur einen für Euch und das seid Ihr selbst. So sind die Wächter von Eden. Ihr solltet wirklich mal die Bibel lesen, so etwas

Verdrehtes und Verdrehtes und Verdrehtes sucht ihresgleichen. Ja, leider dazu gesagt, findet es sich leider auch zu oft selbst in dieser Welt. So sind die

Wächter von Eden jene, die nicht fähig waren, den letzten Machtpunkt zu übersteigen. In der Energiekörperentwicklung gibt es immer wieder Machtpunkte, die überstiegen werden sollten, ansonsten bleibt es an diesem Punkt stehen und geht nicht weiter, aber es kann von diesem Punkt aus aber auch wieder nach unten gehen bis zum vorher überstiegenen Punkt. Und in diesem Punkt muss auch der Zapfen einen Fehler haben. Ihr habt Euch also in einer Ecke verrannt, vielleicht etwas angenommen, dass es so ist, was nicht so ist. Und auf diesem Weg der Wahrheit geht es ja immer um das Erkennen, des Es-ist-so, aber auch des

Ich-bin-so. Das eine löst die Illusion auf, das andere Euren Schatten. Zu dem ICH BIN gehört auch das. Er/sie ist so. Es werde Licht (Herz) /werde Licht/Erhelle die Dunkelheit. Das Licht der Erkenntnis. Zusammen Informationsfrequenz, Ausleitung – Einleitung. Bevor überhaupt eine Einleitung beginnen kann, muss vorher eine Erst-Ausleitung erfolgt sein. Eine Frage, siehe oben. Eine Antwort, siehe Frage oben. Ist denn Neo ein Sklave? Ja, Neo ist ein Sklave. Innerlich nein (vorher schon), äußerlich ja. Und das ändert sich dann in dem neuen, immer schon dagewesenen Raum, dem einzigen, den es gibt, dem

Alles, was ist, ES dem Wesen, der Ursache. Es geht eigentlich im ganzen Buch nur um eine Geschichte, die immer wieder die Form ihrer Erzählung wechselt. Zum einen, weil es mehrere Stufen (Ebenen) des Verstehens gibt, wenn die Werkzeuge sich noch nicht auf einem Punkt vereinigt haben. Haben sie sich vereinigt, gibt es wiederum Ebenen, Ebenen des gemeinschaftlichen Erkennens. Erkennen, Verstehen, Begreifen, Begriffen, dass man begriffen hat. (vollendeter Energiekörper). Zurück zu den Machtpunkten, weil anschließend, mitschließend mit dem Emotionsfeld liegt das Machtfeld.

Erfahrungsebenen

Zwischen Vollendung und vollendet liegen wieder Erfahrungen. Nach vollendet, wieder. Das sind dann deutliche Raumerfahrungen. Real ist, was real ist.
Und erst, nachdem Ihr den geistigen Raum losgelassen habt und durch Eure Erweiterung angeschlossen seid ans höhere Netz, können wir mal über Reptos sprechen. Was ist das höhere Netz. Da sind alle Infos drinnen gemäß den höheren Ordnungen. Manche sprechen von Radiosendern. So kann man sich es auch vorstellen. Man könnte innere und äußere Bibliothek

sagen. Da innerlich und äußerlich in diesem Fall dasselbe ist. Es fühlt sich ganz gleich an wie früher, bevor manche die Bekanntschaft gemacht haben mit dem geistigen Raum. Die Wurzel der
5. Dichte liegt in der 3. Dichte. Ihr befindet Euch im ungeoffenbarten Raum. Ihr seid zwar angeschlossen an die 5. Dichte, aber nicht im äußeren Raum der 5. Dichte. Das da außen kann Euch, außer dass Ihr noch hier lebt, egal sein. Eine sehr anstrengende „Schulzeit" liegt hinter Euch. Eure Aufnahmebereitschaft liegt so bei null. Ihr habt eine lange Übersiedlung hinter Euch, es war sehr anstrengend. Die Kraft für

eine weitere fehlt Euch schlichtweg. Eure Nerven vor allem die Körpernerven müssen sich erholen. Die 5. Dichte hat mehr Nervenreize und das würdet Ihr in diesem Zustand nicht halten.

Angriffe

Neurale Erregungsenergie trifft auf magnetisches Fließsystem – Erschütterung = Schwächung = Entzündung = Schwächung der Abwehr = Krankheit/körperlich Schwächung der Abwehr = Schutzschildabbau/ körperlich. Zunahme der Treffauswirkung:

Jeder Treffer hat ein Flair zur Folge, wie bei einem Auswurf der Sonne, denselben Auswurf gibt es auch bei einem glücklichen Lachen eines Menschen, anders bei glücklich sein, ist es ein Scheinen = Satchit-Ananda. Der Boden ist Samadi, das magnetische System / wurde zur Mitte – Ganzheit (Fülle) = Harmonie. Schwächung der Abwehr durch fortgesetzte Angriffe haben die Zerstörung des energetischen Schutzschildes zur Folge. Die Seele liegt blank sozusagen. Der nächste Angriff hat die Seelenebene erreicht und geht über die körperliche Ebene hinaus, sie führen zu

Gefühlsschmerzen / Verletzung der Gefühlsebene

Wirkung: Körperebene, neurales Brennen / Brennschmerz

Ursache:

Unausgeglichenheit,
Zittern, Nervosität, Unruhe,
Erschöpfungszustände u.v.m.
Geht weiter in die geistige Schädigung, Nebelsehen – Verlust der gefühlsgestützten geistigen Klarheit. Der Umstand des unter Angriff Stehens geht mit einer Enterdung einher, kann eine vollständige Enterdung zur Folge haben. Ein sinnübertragener Zustand des Enterdetseins, als würde der Inhalt Eures Körpers

(Energiekörper) neben Euch
stehen, statt in Euch zu sein.

Der Magnetismus Eures Herzens
ist der Magnetismus von Allem,
was ist, die Überordnung,
Sinnerfassend vergleichbar mit
dem Kohlenstoffsystem.
Bringt alle Unterformen in die
Ordnung (Harmonie) - Ganzheit, in
neuraler Vernetzung mit Eurem
Körper, in die körperliche Form, der
Form. Im Mutterleib beginnt das
schlagende Herzfeld des Kindes,
nicht nur die körperliche, sondern
auch die neurale Bildung/Bindung
anzuziehen - Gefühl, Geist, und das
bildet das Seelenvolumen. Was aber
bildet das, was zum Schlagen des
Herzens führt. Dazu führt die
Erinnerung des Spermas von Allem
was ist. Diese Erinnerung unterliegt

nicht der Zeit, ist aber in gewissen
Maßen an eine Ahnenreihe gebunden.
Die
Ahnen haben sich geteilt in Eure
bewusste Machtahnenreihe und
eine unbewusste Ahnenreihe. Ein
magnetisches Wesen mit einer
magnetischen Anlage muss in die
unbewusste Ahnenreihe zurück,
bevor es sich geteilt hat und
dann wieder nach vorn. Weil, in
der Machtahnenreihe wäre eine
Schwangerschaft nicht
austragbar. So können Seelen,
die der Magnetischen Ordnung
zugehören nur in gewissen
Ahnenreihen geboren werden.
Dazu sollte schon verstanden
worden sein, dass es ohne ES
auch in seiner abgefallenen Form

oder in seiner Ganzheitlichen gar
nichts gibt.

Weiblich, Gefühl,
männlich, Geist,
wurde zum
Gefallenen Engel.

Elektromagnetische Nervensystem-Bindung im Gegensatz die Magnetische Nervensystem-Bindung. Die Spannung machts, die Spannung ist durchwirkend und die Durchwirkung hat auch etwas mit der Erinnerung und der Erinnerungsfähigkeit zu tun. Aber kehren wir zurück zu dem Sinnbild des „neben sich Stehens". Wenn wir doch schon mal neben uns stehen, könnten wir ja auch mal ein kleines Gespräch mit uns selbst führen. Dann erzähl mir mal, wieso du neben Deinem Körper stehst, wie gibt es denn so etwas, hört Ihr eine angenehme Männerstimme sagen, ihr schaut, die Stimme kommt von einem Mann, der neben Euch steht. Euer Gedanke, wer bist denn Du, hat noch kein Wort gebildet, da kommt auch schon die Antwort. Ich bin Du. Ich bin doch eine Frau, wie kannst Du ich sein? Du willst Dich erinnern, so wie Du Dich an so einiges aus unserem Gespräch erinnern wirst, an wie viel, hängt von Dir ab. Nun, wie ich sehe, ist deine Erinnerung weit fortgeschritten, so kann das

Gespräch in direkter Linie zu mir aus der Betrachtung, aus der Vogelperspektive, betrachtet werden. Jetzt ist das Bild ein anderes (nicht wahr?) Ja, jetzt aus dieser Perspektive betrachtet.

Gehirn
Magen - Machtfeld
Bauch - Emotionsfeld Und alles ist mit energetischen Rezeptoren ausgestattet.

Durch ihre elektromagnetischen Impulse erzeugt das bei Magnetischen Angst. Zuerst Magendruck, Bauchdruck, dann gehts in die Angst über, die kann sich bis zum Geist hinaufziehen,

das frisst die Seele auf. Angst essen Seele auf.
Untereinander gibt es zwar Rangordnungskämpfe, die aber keinen Kick auslösen. Die Energie macht, verselbständigt, die Angriffe mit dem Willen stoppbar. Wenn nicht, braucht es deshalb so viele Gesetze, weil keine eigenen inneren Grenzen mehr vorhanden sind. Sie würden immer weiter gehen.
Weil es eigentlich das ist, was sie gerne tun würden, hören solche niemals auf. Weil der Hass in ihnen lässt sie das immer wiederholen, da er sie nicht dahin lässt, wo er eigentlich hinwill. Weil, Hass will nicht verletzen, Hass will töten.
Deswegen geht der Hass auch

nicht weg. So bleibt es beim Verletzen, Verletzen, im dauerhaften Verletzen, weil der Hass nicht seine Ruhe im Tod des anderen finden kann. Weil, im elektromagnetischen System steht der Magnetismus in der Unterordnung und wenn er beim Gegenüber nicht in der Unterordnung ist, löst dies den Angriff aus. Dafür braucht es keine Ursachen, die nicht vorhandene Unterordnung IST die Ursache. Aber nicht der Angegriffene ist die Ursache der Ursache, sondern der Angreifer ist die Ursache der Ursache. Ein Scheit allein brennt nicht, sagt man so schön, aber in diesem Falle brennt ein Scheit allein! Damit binden sie das

Gegenüber mit ein, in etwas, womit es 100 % nichts zu tun hat. Weil alles in ihnen liegt und nichts im anderen. Das ist ihre höchstpersönliche Wechselwirkung. Sie verschieben die Ursache auf den anderen und rechtfertigen dadurch ihre Wirkung. Täter/Opferumkehr. Diese Struktur gehört zur Struktur der Welt.

Weil, der Magnetismus greift nie an und greift nicht ein in die elektromagnetische Struktur. Also etwas, was für die eigene Struktur harmlos ist, kann man nicht als Feind erkennen. Also kann die Wirkung durch das Gegenüber ausgelöst sein. Also hat es einzig und alleine mit ihren Macht- und Emotions-

Rezeptoren was zu tun. Und das ruft dann auf: „Futter" Deshalb auch der Druck im Bauch und im Magen, und die Angst, weil da das Fluchtverhalten getriggert wird. So wie Löwe und Gazelle. Jetzt stecken wir mal die Rehe und die Wölfe in eine Kiste. Was tut jetzt das Reh, um sich zu schützen? Es läuft davon, es könnte noch versuchen, den Wolf zu besänftigen, es könnte selber zu einem Wolf werden, das mag aber ein gerne Reh seiendes Reh nicht. Also was tut das Reh? Es entwickelt sich so lange, bis der Wolf das Reh als Beute nicht mehr wahrnimmt. Und wieso jetzt Futter? Weil, wenn man 2 elektromagnetische Humanoide gegenüberstellt, die lassen wir einen Machtkampf ausfechten, denn mehr kann es nie sein, dann geht der Strom hin und her. Der Strom, den der Andere hat, tut dem anderen nichts. Das sind Rangkämpfe = Hierarchie, Rudelrangkämpfe. Um was kämpfen sie noch? Um einen Erregungspunkt. Lieferanten (= Opfer). Und deshalb können Situationen entstehen, wo man in so einer Konstellation steht, aus der Ihr abhaut und die helfende Hand entpuppt sich als Gleiches. Oder Du befindest Dich mitten in einer Horde, z.B. Eure Geburtsfamilie ist solch eine Horde und weil Ihr nichts anderes kennt, heiratet Ihr noch in eine solche Horde ein, Ihr seid umgeben, nein umringt von

Wölfen. Und jetzt probiert mal da rauszukommen. Wenn Ihr zuvor die Wölfe noch nicht richtig erkannt habt, obwohl sie Euch andauernd verletzen und Euch das den Antrieb gibt, diese grausame Einzelhaft zu verlassen, nachher wisst Ihr es bestimmt. Zurück zu den Rangkämpfen. Da gibt es auch Verletzungen, aber nur Egoverletzungen, die auch in einer Depression enden können. Da ist nichts verletzt, nur das Ego. Wenn das Ego verletzt ist, ist nichts verletzt. Aber das ruft beim Egoverletzten wieder den Hass auf.

Wenn z.B. ein Mann von der Frau verlassen wird und er hat statt Tränen den Hass, dann war nur sein Ego verletzt und der Hass will immer den Schaden für den anderen. Dieser Hass möchte aber nicht den baldigen Tod des anderen, sondern eine lange Zeit des Miterlebens des Scheiterns des anderen und das befriedigt seine Rachegelüste und hebt seinen Selbstwert. Rache und Hass ist in der Emotionsbreite sehr nahe. Und die Oberordnung dessen ist die Macht. Also die Macht ist das Geilsein, das Geilbleiben. In Verbindung mit der Emotion ist der Orgasmus, sprich Erregung = Kick und den besonderen Kick können sie sich im eigenen System nicht holen. Weil, da gleich und gleich gegenübersteht. Also, müssen sie sich den Kick holen, indem sie in

ein Fremdsystem eingreifen.
Also, da Magnetismus ein anderes Ordnungssystem hat, ist es ein anderes System (Fremdsystem). Da dieses System aber nicht vollendet ist, macht es so was erst möglich.
Ja, Rettung wird Euch ja genug angeboten. Allerdings die Rettung nach unten. Auch wenn das Euch vorkommt wie ein Horrorfilm, ich kann Euch beruhigen, es ist ein Horrorfilm. Aber zum Glück gibt es nicht nur den Ausweg nach unten, sondern auch nach oben. Dann schauen wir uns mal das magnetische ES an, das magnetische Fließsystem = MFs. Was tut also der oder die MFs, die Frage hatten wir schon

mal. Also gehen wir einfach bei
der
Antwort weiter. Für schwierige
Fälle rufe man das FM
(fließendes Management). Jetzt
geht es um die Spannung. Analog
hat eine andere Spannung wie
digital.
Das Digitale unterstützt das
elektromagnetische
Spannungsfeld. Umso höher,
umso mehr unterstützend (z.B.
Elektrosparlampen). Das hebt die
Feldstärke des künstlichen
Systems, was wieder
elektromagnetischen
Humanoiden nichts tut, aber den
anderen. Obwohl nichts tut, kann
man dabei auch nicht sagen, weil,
im übertragenen Sinn ist das
ganze elektromagnetische

System eigentlich schon die Unterordnung des vereinigten Gerätechakras. Ihr steckt ja schon mitten im Spiel, ihr wisst es nur noch nicht. Euer Bewusstsein ist in diesem Spiel eingesperrt. Für dieses Im-Spiel-Stecken hat es auch keine Geräte gebraucht. Und trotzdem wird jetzt alles getan, damit dieses Spiel nicht in die Unterspannung geht. Und Euer Bewusstsein vielleicht in der Lage ist, den Helm abzunehmen. So gesehen ist es ein positives Zeichen, dass das System 5G-Unterstützung braucht. In jeglicher Form.
Zurück zum MFs. Lasst dem König das, was des Königs ist. Wenn Ihr vor einem energetisch

hierarchischen Machtjunkie steht, dann versucht Ihr mal, dem auf Augenhöhe zu begegnen. Was passiert da. Das eine was passiert ist, dass dieser aggressiv wird und versucht, Euch drunter zu bringen. Und das andere, schaut mal was passiert mit Euch. Wie kann man dem überhaupt in die Augen schauen, auf Augenhöhe. Wenn Ihr Ihr seid, könnt Ihr ihm gar nicht in die Augen schauen, was passiert also. Es geht keinesfalls, ohne Dich selber zu verlassen. Und wo sollst Du bleiben? Bei dir selber. Und was muss man spüren, um in dieselbe Augenhöhe zu kommen? Dasselbe, sprich Macht und Aggression / Hass. Also bei

Euch bleiben. Und was ist bei Euch bleiben anders beschrieben? Auf der menschlichen Ebene bleiben. Weil der Magnetismus nichts ist als die vollendete, menschliche Ebene, die nicht der Reduziertheit unterliegt. Unterliegt sie der Reduziertheit, ist Satan geboren. Alles, was man unter Bösem und Satan bezeichnet, ist geboren. Im Nicht-Reduzierten gibt es keine Emotionen, Kein Machtfeld, keine Herrschaft des Gehirns. Wenn man noch die Ahnung einer menschlichen Ebene in sich hat, kann man alles über die menschliche Ebene begreifen. Also, dann gehen wir einen Schritt weiter. Die menschliche

Ebene erkannt, festgehalten, in ihr geblieben, wahrgenommen und gefühlt, dass Ihr das seid. Und so betrachten wir das Nächste. Also, stellt Euch vor, ihr sitzt zu Hause. Dann stellt Euch vor, Ihr sitzt im Kaffeehaus und jetzt stellt Euch vor, Ihr sitzt vor einem Arzt in der Klinik. Seid Ihr da überall gleich? Wenn nicht, warum nicht. Ok, wechseln wir in eine öffentliche Toilette in einem Kaufhaus.

Dann gehen wir zurück in die Klinik, da geht eine Krankenschwester vorbei und schaut Euch kurz an. Verhält Ihr Euch der Krankenschwester und Klofrau gegenüber gleich, oder machen wir es noch deutlicher, verhält Ihr Euch der Klofrau und dem Arzt gegenüber gleich. Ok jetzt machen wir den Arzt zum Klomann und die Klofrau zur Ärztin. Ja, ich nehme mal an, Ihr wisst, um was es geht. Der Gleichwert gehört zur menschlichen Ebene. Im Gleichwert ist jeder Mensch auf energetischer Ebene gleich. Und in Wahrheit gibt es kein persönliches Ich und ein nicht persönliches Ich. Es gibt nur ein Ich. Und in dem heißt es tapfer bleiben. Egal wo und bei wem man ist. Das ist eine Ich-bin-Übung. Ist jetzt der Arzt zu Hause anders als in der Klinik, dann unterliegt er einer Spaltung (Persönlichkeitsspaltung). Auch das gehört zum elektromagnetischen Zustandskonvolut. Jetzt hat der Arzt aber noch Glück. Der kann wieder bei sich selber sein. Es gibt genug, die können das nicht mehr. Jedes Mal, wenn Ihr irgendwo seid, nicht wirklich Ihr seid, in Anlehnung an die menschliche Ebene, dann habt Ihr Euch wieder einmal verlassen. Und dieses Verlassen nennt man Maske. Und manche sind nur mehr Maske. Also bei sich bleiben, bei sich festhalten und das in die Verselbständigung führen. Und ehrlich erkennen, wenn es nicht so ist, nicht so war. Denn nur das bewusst Erkannte, erledigt sich. Gehen wir nochmals zum Arzt. Diesmal mit unserem Ich. Wie ist er jetzt so. Und Voraussetzung für diese Geschichte ist, dass Ihr schon eine Zeitlang bei Euch geblieben seid. Da ist es schön, wer will da schon weg. Erstens ist es ganz egal, in welchem Götterhimmel der Arzt schwebt, seine Hierarchie erreicht Euch nicht wirklich. Eurem Selbstwert macht das Null, Komma periodisch. Die Machtwelt ist eine Welt, die menschliche Ebene nichts angeht, ist eine andere Welt.

Und so kann man die Machtwelt, wenn man sie erkannt hat, in Hülle und „Fülle" abhaken. Die nützliche Erfahrungs- / Erkenntnisreihe ist abgeschlossen. Andere sind in diesem System nicht zu machen, man muss nicht alles 1000-mal wiederholen. Begreifen, begriffen, dass man begriffen hat, abhaken und fertig. Lasst dem König das, was des Königs ist. Und wenn Ihr vor ihm sitzt und er Euch für beschränkt, dumm oder was auch immer haltet, bleibt in Euch, geht nicht auf Augenhöhe, um ihm zu zeigen, dass Ihr gleich viel wert seid, lasst dem König, was des Königs ist. Und seine Gedanken über Euch sind die seinen, lasst dem König, was des Königs ist. Seine Macht und Arroganz ist die seine, lasst dem König, was des Königs ist. Wenn er Euch kariert sieht, statt lilablassblau, lasst dem König, was des Königs ist. Gehört alles nicht Euch, lasst dem König, was des Königs ist. Ihr müsst Euch nicht beweisen, lasst dem König, was des Königs ist. Gebt ihm aber nicht mehr aufgrund seines hierarchischen Wahnsinns, als Ihr einem anderen geben würdet. Somit wären wir beim Magnetismus. Lasst dem König, was des Königs ist. Der Magnetismus löscht alles, was außerhalb seines Systems ist. Wenn aus dem elektromagnetischen Feld Energien versuchen, aggressiv, angriffig in Euren Raum einzutreten, dann löscht der Magnetismus dies im Ansatz. Dabei kann sich die andere Partei gar nicht daran erinnern, dass da ein Ansatz war. Weil, der

Magnetismus lässt dem König das, was des Königs ist. Deswegen kommt zuerst das Begreifen über die menschliche Ebene, damit man den Magnetismus versteht. Genauso wie Menschen, die ein aggressives Potential gegen Euch richten würden, wenn sie denn könnten, dies einfach vergessen. Ist nur ein Arzt ein König? NEIN. Jeder Mensch, der tragend mit dem elektrischen Netz interagiert, ist ein König. Ob Putzfrau oder Bundespräsident, egal wo, egal wie. Der Magnetismus lässt Strukturen nur mehr wirklich in Euren Raum eintreten, die der Struktur Eures Raumes entsprechen. Der Magnetismus dringt nicht in den Raum anderer ein. Der Magnetismus ist einzig und allein dazu da, den Raum vor Angriffen anderer zu schützen. Ihr beansprucht Euren Raum für Euch selbst und lässt den anderen den ihren. Nach dem Motto, Leben und Leben lassen, jedem das seine, aber mir endlich das meine. Eine runde Geschichte hat keine Ecken.

Weil wir gerade bei Königen sind. Gibt es überhaupt Könige? Nein. Das ist auch so etwas, was es nicht gibt in der extremen Häufung von Dingen, die es nicht gibt.

Jetzt gehen wir mal zu einer bekannten, nicht mehr in der Welt weilenden, Königin. Eine alte Frau mit Handtäschchen.

Einmal steht sie, einmal sitzt sie, zappen wir mal ins Altersheim. Da schnappen wir uns eine alte Lady, drücken ihr ein Handtäschchen in die Hand – da haben wir sie, die Königin. Ja, das ist ja nicht die Königin. Ok, dann beamen wir sie in den Palast, bringen ihr ein paar Anstandsregeln bei, dann haben wir da die Königin. Wir machen es ganz einfach verkehrt. Wir holen die Königin und beamen sie ins Altersheim. Da kann sie außer Sitzen und Stehen noch hysterisch schreien „ich bin die Königin", dann kommt die Pflegerin und streichelt ihr übers Köpfchen, „haben wir heute die Tabletten vergessen?" Machen wir es noch spannender.

Wir lassen die Königin, Königin sein und nehmen ihr alles Drumherum weg. Was tut jetzt die Königin? Kein Palast, keine Angestellten, keine Garde, keine Fußpflege, kein Friseur, kein gar nichts. Sie ist immer noch die Königin. Was ist denn dann die Königin? Nur eine alte Frau mit Handtäschchen. Die Königin ist alles um sie herum. Wer macht also die Person zur Königin? Das Drumherum. Und wer ist das Drumherum? Alle, nur nicht die Königin. Also, sind im übertragenen Sinn alle um sie herum die Königin. Es gibt keine Königin. Hat es nie gegeben und wird es nie geben. Das sind alles Kunstfiguren. Ihr erhebt sie zu etwas, was es nicht gibt. Und so ist es mit vielen anderen Kunstfiguren auch. Und jetzt lassen wir Herzogin Kate wieder mal ein Kind bekommen. Eine Frau, die ein Kind bekommen hat. Und das war es auch schon. Aber das elektromagnetische Erregungsfeld macht da ganz was anderen draus. Und dann geht Ihr bei der eigenen Nachbarin vorbei, die gerade ein Kind bekommen hat, was ist jetzt da mit dem Erregungsfeld? Habt Ihr jetzt schon eine Ahnung von Gleichwert? Es gibt diese Unterschiede nicht, diese Unterschiede gibt es nur im elektromagnetischen Erregungsapparat. Es gibt keine Hierarchien. Die gibt es ganz einfach nicht. Das alles ist gleichwertig. Gleichheit, was da wieder ideologisch injiziert wird, gibt es auch nicht. Weil nichts gleich ist. Jede Blume, auch wenn sie der gleichen Gattung entspringt, ist anders. Jeder Baum ist anders. Es gibt nichts, das absolut gleich ist. Es ist alles verschieden, aber alles gleich im Sinne von Gleichwert. Und was machen die Elektromagnetischen? Sie machen die Gleichheit, denn Männlein und Weiblein ist dasselbe und den Gleichwert lassen sie weg. Ein doppelt gemoppelter Error, wie immer.

Genauso, wie wenn sich der Magnetische wehrt, tut es dem

anderen auch nichts. Weil, ist ja ungefährlich. Magnetismus = Herz und schade mal dem anderen mit Herz, ist unmöglich.

Neue Erfahrungen: gehen wir zurück zu dem Punkt, an dem Ihr an die Grenze des Unschaubaren gestoßen seid, zurückgekehrt seid und erkannt habt, dass das Unschaubare auch hier in Eurem Zimmer ist.
Erkennend, dass das Unschaubare überall ist, in Euch auch. Aber auch das Bekannte. Das Erkannte, das neu Erschaubare, Unüberschaubare, das Bekannte, das Erkannte, der Kreis schließt sich nur diesmal nicht, weil die neuen Erfahrungen nicht im ewigen

Wiederholungskreis liegen. So ist auch die Vollendung Eures Energiekörpers nur über die Spiralform erreichbar. So ist das Ende des Kreises nicht der Anfang des ewig Gestrigen, sondern das Ende des Kreises ist der Anfang des ewigen Neuen, der Fluss der Spirale.
Der Kreislauf des wirklichen Vergessens ist beendet.

Das In-Resonanz-Gehen wurde zur Resonanz, zur Resonanz selbst. Die Sehnsucht der Seele nach sich selbst ließ sie die Vereinigung in sich selbst suchen, obwohl sie erst im außen sucht, was sie dann innen findet. Denn, nur wer wahrhaftig alleine sein kann, kann auch in die

Wahrhaftigkeit des Zweiseins finden. Der Friede des Suchenden lässt den Wartenden, den Suchenden finden. Wer sucht, der findet, wer nicht mehr sucht, wird gefunden werden. Wer sucht (im außen), der findet (innen). Der Friede des Suchenden lässt den Wartenden (außen) den Suchenden (innen) finden. Ich spreche zu Dir aus der Gegenwart in Deine Vergangenheit, um dich in unserer gemeinsamen Gegenwart begrüßen zu dürfen/können.
Und seid Ihr im Übergang von In-Resonanz-Sein und der seienden Resonanz selbst - ICH BIN, fällt es Euch immer schwerer, zurückzugreifen

(runter, rüber) zu kommen. Obwohl es ein Rüber bildhaft am besten beschreibt. Auf der anderen Seite sein. Nach der Vogelperspektive des Waldes steht man im ungeoffenbarten Raum außerhalb des Malerkübels, der ungeoffenbarte, neue (alte, einzige) Raum, in dem die Seele in die Zweiheit findet. Die Einheit der Zweiheit, verbunden durch die Dreiheit des Herzens. Es werde Licht. In der Erfahrbarkeit, die Erlebbarkeit. Eure in die Vollendung gegangenen Wahrnehmungswerkzeuge Eures Selbstes lassen Euch beginnen, das Unerfassbare, das Unschaubare, in einen fassbaren, erschaubaren, schaubaren, inneren und äußeren Erfahrungshorizont, erweiterbaren Erfahrungshorizont, zu bringen.

Phase 1: Der innere und der äußere Erfahrungshorizont in der Illusion zur Auflösung der Illusionen

Phase 2: Der innere Erfahrungshorizont des neuen Raumes

Phase 3: Innerer und äußerer Erfahrungshorizont des neuen Raumes, obwohl sich zu Anfang, gestaffelt nach oben, in der Breite, immer kleiner werdend, auch eine Mischung von allem ergibt.

Mal innen, mal außen, mal hüben, mal drüben. Umso mehr die Entwicklung voranschreitet, ist man mehr drüben als hüben. Bis nur mehr das Drüben auch Hüben ist. Die vollendete Einheit in Euch selbst. Wenn der letzte Tropfen den Weg der Vollendung vollendet hat, gibt es eine Wirkungsreaktion, eine gegensätzliche Drehung bis zur Auflösung der sich drehenden beschleunigten Struktur, es dematerialisiert sich und wechselt so von der Resonanz des elektrischen, künstlich magnetischen Systems in die Resonanz der normalen (wahrhaftig, höheren) Ordnung, (die eigentlich keine ist, weil es

die normale Ordnung ist). So
gäbe es den Begriff der höheren
Ordnung nicht, würde es nicht
den Umstand der Reduziertheit,
der normalen Ordnung geben. In
der normalen
Ordnung gibt es keine
Hierarchien. Die reduzierte
Ordnung erhebt die normale
Ordnung in eine höhere Ordnung.
Die reduzierte, niedere Ordnung,
die sich selbst als höhere
normale Ordnung darstellt
(Lüge), der Lügner, die Lügner.
Der Lügner weiß, dass er lügt,
der Betrogene meist nicht.
Also rette sich wer kann.
Manche erahnen die Lüge,
Manche beginnen die Lüge zu
erkennen und zu erfassen,
darunter sind einige, die sich

lieber weiterhin belügen, weil ihnen der Weg des Erkennens nicht schmeckt. Alles in allem kommt keiner nicht aus den Gesetzen, dem Alles was ist, kann man nicht entgehen. Eine künstliche Welt, eine künstliche Ordnung zählt sich immer selbst ab. Eine künstliche Welt unterliegt der Abzählung. 10, 9, 8, 7, 6, 5, 4... diese Abzählung führt zu einer Gegensteuerung, höher, bunter, tiefer, mehr. Die Energie des Abbaus muss immer wieder ersetzt werden. Da aber ein Abbau nicht durch einen Zubau im Sinne von Aufbau erfolgen kann, weil sich sonst das System der niederen, weil reduzierten Ordnung, selbst (in seinen Augen) damit auflösen würde, im Sinne von Assimilation. Weil es sich in das Werden der höheren Ordnung begeben würde und irgendwann transformiert (aufgelöst) haben würde, gibt es die gegenteilige Reaktion, anstatt die Abnahme durch eine Aufnahme der einzigen, wahren Sättigung zuzulassen, kämpft die illusorische, künstliche Macht um ihre illusorische, künstliche Macht. Nach vor geht nicht, sprich es muss nach zurück, nach unten gegriffen werden, nerviger, lauter, schriller, aggressiver, verrückter, abnormer, kriegerischer, perverser, frühsexualisierter, verrohter, versauter, herzloser, kontrollierter, konstruierter, künstlicher, überwachter,

verdrehter, bigottischer, esoterischer, züchtigender, fauler, (sozusagen Leben in Extremen) manipulierter, per gesetzter
Verordnung unter Strafandrohung zwangsreduzierter, faktisch entmenschlichter, Das Endprodukt ist dann entmenschlicht.
Doch jeder Schritt weiter weg von der natürlichen Ordnung bringt die Abzählung in einen noch schnelleren Modus. Der Stress nimmt zu, bei jeder Runde braucht das System mehr Energie, um den Laden wieder unter Kontrolle zu bringen. Mit jeder Runde wird die Fratze des Systems (ich bin die Kraft, die

Böses will und Gutes schafft), der Abfall der Gesellschaft, immer sichtbarer, erkennbarer, bei jeder Runde aufs Neue erkennbarer, immer wieder dieser falsche Weg. Die Grenze ihres Schwingungskörpers ist erreicht, das dreht sie automatisch um und die vorvollendete Seele fokussiert ihren Weg auf das einzige Ziel, das es gibt, Vollendung, Ganzwerdung, Heilwerdung. (oder sie geht mit und somit in die Senkung und weitere Reduzierung). Und jene, die noch immer keine Grenzen in sich gefunden haben, gehen weiter mit dem Weltenkarren bis zur nächsten Abzählung 10,
9, 8, 7...

Die Seelen, die sich auf den Weg gemacht haben, werden behindert, bekämpft, abgelenkt, in die Irre geführt, verhöhnt, verspottet, verlacht. Ich werde an dieser Stelle dieses Kapitel beenden, weil es schon beendet ist, die meisten wissen es nur noch nicht, der Ausgang aus der endlichen Geschichte ist die unendliche, endliche Geschichte, ist die unendliche, nicht endliche Geschichte. Also zappen wir rüber zum magnetischen Dienst und schauen wir mal, was aus jenen geworden ist, die schon vor Jahrzehnten den Weg zum Ausgang angetreten haben. Was tat denn so ein magnetisches Wesen, ein ES im Raum des ES da, und noch nicht da. Wäre ja

alles so einfach, aber es muss bis zum letzten Punkt abgebaut werden, was den Samen einer niederen Ordnung ausbilden könnte. Die letzte Hürde sozusagen.
Und alles nur wegen dem Punkt. Es gibt nur einen Magneten, der es schafft, diesen Punkt zu übersteigen und somit zu deaktivieren, das ist der Magnetismus Eures Herzmagneten. Diesem Kapitel könnte man viele Namen geben, z. B. die Cherubim (Wächter), der Weg der Zwillingsflamme. Wirklich real treffen kann es sich erst, wenn beide derselben Erkenntnisstufe angehören, ab da kann es, wenn es vorgesehen ist, gemeinsam weitergehen. Und

das ist ein Weg, den keiner für einen anderen gehen kann, deshalb geht es nie um die Erkenntnisse eines anderen, sondern immer um die eigenen, der Weg kann auch ein gemeinsamer sein, gerade in Paarbeziehungen unterliegt ein solcher Weg keiner Trennung mehr.
Der körperliche Orgasmus soll Euch an die Urquelle erinnern mit und in Liebe (Ehrlichkeit) zu Euch und Euren Partnern, ist sie die niederste Schwingung des Lichts.

Auf alle Fälle ist es schon wieder eine Liebesgeschichte, wie kann es auch anders sein, wenn außer Liebe nichts ist. ES ist. ES das

Wesen. Das lebendige, vergeistigte, verkörperte Wesen ES. Alles andere ist Maya, die Illusion. Es ist/Ich bin, du bist, wir sind. Und, so wie der Baum keinen Namen braucht, um zu sein. Ich bin, Es ist, wir sind, wer wir sind, was wir sind, warum wir sind. Wir sind ES das Wesen.
Was tut also so ein magnetisches ICH BIN WESEN; KURZ UND ERGREIFEND NICHTS; ES TUT NICHTS; ES IST = Naturgesetz.
ES IST, ist der Magnetismus.
Der Magnetismus ist ES.
Ok, gehen wir zappen, das kennt Ihr ja vom begehrtesten Ablenkungssystem, neben dem Handy und PC, sprich Internet (Netz), Spielekonsolen usw. dem

TV. Also Fernsteuerung in die Hand, wo doch Hollywood und Co, so aufregend ist und die Realität so abregend. Spannung, Spiel und Spaß. Ist auch nicht weiter schlimm, aber wenn sein eigener Energiekörper darüber hinaus die Spannung des Lebens vergisst und nur mehr künstliche Erregung jeglicher Art braucht, um neben den augenfälligen Sklavenuntererregungsnetz überhaupt noch eine Ahnung von der Spannung des Lebens haben zu können. Nach dem Motto lebt Ihr schon, oder erregt Ihr Euch noch. So wechselt der künstlich geerdete Humanoid zwischen Untererregung, Arbeit, Schule, Langeweile und Übererregung,

Sex, Porno, Allah, Handy, Klatsch und Tratsch, abstechen, niederstechen, 2,5 Karatklunker, Shopping, Fußball, Autos abfackeln. Der größte Wunsch, Vorruhestand,
Millionär werden, eine wichtige Führungsrolle einnehmen, viel Geld verdienen, eben die Gewährleistung zu erlangen, so oft und so lange wie möglich in der Erregungsphase bleiben zu können. Und diese Erregungsphasen werden als Leben erkannt, wenn man mal davon absieht, dass Selbstaufopferung auch ein Erregungspunkt sein kann. Deswegen ist ja auch alles so geil, es gibt nichts, was nicht geil ist, von den untererregten

Punkten mal abgesehen, aber die untererregten Punkte braucht man halt oft, um sich die Erregung finanziell aber auch anders leisten zu können. Deshalb ist meist der Weg der Erregung auch meist ein Geld- und Status orientierter Weg. So geil. Einfach mega geil. Geil, die Erregung, einfach erregungsgeil. Wie schon Aleister Crowley schrieb, Wille (Gehirn) über Herz. Die Spezies der erregungsgeilen Willimännchen und

Willifrauchen, komm, mach Männchen, komm Frauchen such, aus, pfui. Der Willi und die Willini, das ist ein ganz einfaches Konstrukt. Nämlich ein elektromagnetisches Wesen mit schwachem Magnetismus und die dazu gehörende Bewusstheit/Bewusstsein, Intelligenz/Intellektindex, Elektromagnetisches Spannungsfeld. Alle Strukturen, die ein elektromagnetisches Spannungsfeld mithalten, ergeben in Summe ein elektromagnetisches Spannungsnetz = Milieu. Dieses elektromagnetische Spannungsfeld wirkt aufgrund seiner Feldstärke Magnetismus störend und abhaltend. Sobald ein Kind geboren wird, ist es diesem Störfeld ausgeliefert, Kindergarten und Schule tun ein Übriges. Der Magnetismus eines vorvollendeten Herzfeldes kann nicht mehr zerstört werden,

auch wenn der Rest (Gefühl, geistige Ebene) meist allerdings angegriffen und manchmal zwangsgerodet wird. Wobei wir bei der normalen Natur wären. Sie entspricht mehr dem elektromagnetischen Magnetismus. Die höhere Natur entspricht zur Gänze dem Magnetischen.
Somit ist über die Erde ein anderes Spannungsfeld begehbar und ist natürlich beim Anstieg Eures Magnetismuses hilfreich und ausgleichend. Umso mehr Euer eigener Magnetismus ansteigt, umso mehr erkennt, spürt Ihr die Verschiedenheit dieser Spannungsfelder. Was allerdings auch eine Belastung von innen und außen für Euch

darstellt, weil solange der Magnetismus in Euch noch nicht Kraft übersteigend das elektromagnetische Feld ausschalten kann, kann es zunehmend schädigend, weil dagegenhaltend auf Euch einwirken. Wenn Euer Magnetismus kräftig genug ist, fährt es das äußere Kraftfeld herunter. Und da sind wir wieder bei ES und weiter oben, da ist auch noch ein ES das Wesen. Wir sind dem ES auf der Spur. Extreme sind Erregungszustände. Das elektromagnetische Nervensystem ist ein Erregungspunktsystem und das ist ein ES. Dieses elektromagnetische „Wesen" ist verbunden mit dem elektromagnetischen Feld (Wesen) und das elektromagnetische Feld ist verbunden mit den elektromagnetischen Humanoiden. Es gibt also zwei ES. Das schädigende und das, das die Schädigung herunterfährt. Das Wesen (Charakter), das dahinter liegende Wesen, das dahinter Liegende. Das Wesentliche. Macht in jeglicher Form ist ein Erregungspunkt, obwohl Macht erst mal richtig verstanden werden muss. So ist antiautoritäre Erziehung auch ein Erregungspunkt. Extreme Tierschützer surfen auch auf der Welle eines elektromagnetischen Erregungspunktes und solche Wellen braucht das elektromagnetische Wesen, um sozusagen im wahrsten Sinne des Wortes unter Strom zu stehen. Und den Strom identifiziert so ein Wesen als Leben. Ein Wesen, das einen aufsteigenden Magnetismus hat, ist nichts, was sie mögen, also wird angegriffen. Elektromagnetische Wesen können sich gegenseitig nicht wirklich verletzen, weil das Spannungsfeld dasselbe ist. Sie können also nicht wirklich in den anderen eingreifen und Schaden anrichten, zumindest nicht im energetischen Sinn, aber auch nicht im Seelischen. Ein aktives Gefühlsfeld gehört zum

Seelenkomplex, ein
Emotionserregungsfeld nicht.
So kann ein Angriff gegen ein
Wesen mit
Gefühlsfeld/geistiges Feld eine
seelisch/geistige Verletzung
verursachen und das ist ein
besonderer Kick, weil es ihm,
dem elektromagnetischen Wesen
die Erregungspunkte stimuliert,
Melkkuh bis der PC abstürzt,
einfach nur geil und die
Stimulation dieser
Erregungspunkte = künstliche
Lebensenergie. Ausgeglichen
wird das ganze durch den
Magnetismus des Körpers oder
durch Liebe.

Das Verbot, seine eigene
energetische Erfahrung zu

machen, selbständig sein, selbständig stehen, wird nur im Rahmen des künstlichen Elektromagnetismuses erwünscht/erlaubt. Alles andere ist unerwünscht, damit man den Exit nicht findet. Man soll ihn nicht finden.

Der ewige Kreis/Spirale

Die Jahreszeiten, der Jahreskreis ist auch ein Kreis, der sich nicht ausdehnt. Kreise, die sich nicht ausdehnen, stehen für Quadrate. Das Quadrat ist eine Fläche, in der sich die künstliche Welt aufzieht, bewegt. Deshalb symbolisiert der Winkel das Maß der Welt. Er symbolisiert es nicht nur, er ist es. Es wird Maß genommen. Maß genommen für den Rahmen, für den Rahmen der Welt, dem Quadrat. So sind die meisten Symbole aufziehbar in diesem Rahmen. Aber nun zurück zum Jahreskreis und zum dazu gehörenden Kalendersystem, zum Kalendersystem und dem dazu gehörenden Jahreskreis. Der Jahreskreis ist doch nicht dem Kalendersystem zugehörig. Der Jahreskreis ist doch die Ursache, das Kalendersystem die Wirkung? Der Jahreskreis ist nicht die Ursache. Der Jahreskreis ist künstliche Wirkung = Lüge. Das Kalendersystem lenkt die Aufmerksamkeit auf eine Ursache, die es in einer solchen, in dieser Form nicht gibt, die Aufmerksamkeit auf Falsches zieht und lässt die Aufmerksamkeit im Rahmen bleiben und den Rahmen der Welt stabil halten. So gehört es zum Wesen des Rahmens/Quadrates alles unaufhörlich zu wiederholen. Sich dauernd wiederholende Abläufe lässt Abläufe im Rahmen der Kontrolle. Ein Aus-dem-Rahmen-Fallen bedeutet Kontrollverlust. Nun sind aber Menschen, die fähig sind, aus diesem Rahmen zu fallen nicht gefährlich im Sinne des Aus-dem-Rahmen-Fallens (Verbrechen). Dieses Aus-dem-Rahmen-Fallen bewegt sich im Rahmen des Rahmens. Und alle

Jahre kommt das Christkindlein. Das Christkind wurde aber nur einmal geboren (im Fleische), es wiederholt sich alle Jahre wieder die Empfängnis des Christkindleins. Alle Jahre wieder wird Christus ans Kreuz geschlagen und stirbt. Alle Jahre wieder sein Wort (Wortgeben), dass es sein Kommen, sein 2. Kommen gibt. Da könnte man jetzt mal stehen bleiben und ES auf sich wirken lassen oder mitgegangen sein, Empfangen, Empfangen haben, an das Empfangen angeschlossen sein. Aufnehmen, aufgenommen haben ans Aufnehmen angeschlossen sein. Oder eben auch nicht. Und weiter geht es mit dem ewigen Kreis, dem

Quadrat und dem dazu gehörigen linearen Denken. Empfängnis, Christi Geburt, Christi Kreuzigung, Christi Wiederauferstehung, sein Verweis auf sein 2. Kommen, Heiliger Geist. Und seid Ihr schon aus dem Rahmen gefallen. Nein, nicht, dann auf in die nächste quadratische Runde. 2000 Jahre später. Und begriffen, aufgenommen, mitgegangen in Aufnahme stehend, in die stabile, ewigliche Daueraufnahme eingeklinkt. Schon aus dem Rahmen gefallen, nein, und alle Jahre wieder kommt das Christuskind. Und alle Jahre wieder kommt der Urlaub, die Ferien, und alle Jahre wieder wiederholen sich die verschiedensten Feste im Jahreskreis. Und jede Woche beginnt die Arbeitswoche aufs Neue. In Pension und jede Woche sieht man die Leute ihre Arbeitswoche beginnen. Und in jedem quadratischen Kreisjahr feiert Ihr Geburtstag aufs Neue. Das ist ja sinnig, weil es ja nur ein quadratisches Kreisjahr gibt. Alle Veränderungen bleiben mit Maß (und Ziel) des Winkels gemessen, im Wesen des Quadrates. Kommen wir nun zum Kalendersystem des quadratischen Kreises und schalten wir in der Betrachtung gleich hin zum Schaltjahr. Für was braucht es überhaupt ein Schaltjahr. Das Wesen eines

Quadrates braucht kein Schaltjahr. Warum braucht das Kalendersystem dann ein Schaltjahr. Alles bleibt immer im selben Spektrum. Ob es Könige, Eliten, Kapitalismus, offene Diktatur, ohne eine versteckte Diktatur (= Demokratie), Kommunismus, oder Zeus, ob jetzt Feldsklave oder ein industrieller Sklave... Es bleibt immer innerhalb dieses quadratischen Spektrums. Um das wahre dahinter liegende ES das Wesen des Jahres zu verstecken. Verstecken (das sehende Geheimnis) ist gleich Formung des künstlichen Wesens ES in Form bringen (Lüge, Maßnehmen) in Form halten (den Rahmen stabilisieren, stabil halten, den Rahmen, der die Aufmerksamkeit im Quadrat hält). Eine Pyramide = Quadrat, ein Obelisk mit seiner pyramidalen Spitze, die pyramidale Spitze. Der Obelisk, ein Fallussymbol männlich, die Pyramide, das Symbol der Vagina weiblich. Die fehlende pyramidale Spitze auf der Pyramide fehlt nicht mehr, wenn das Glied in die Scheide eingeführt wird und seinen orgastischen Platz mit geöffnetem Auge als Pyramidenspitze findet. Eine Initiation. Gott ES, Götter ES. Gott, die Götter, die Wächter des Quadrates, des begrenzten Gebietes. Die Erbauer, die Erschaffer, die Wächter von

Eden, dem abgegrenzten Gebiet. Abgegrenzt von Allem, was ist. Obelisken legen Zeugnis ab für die Macht, die Machthaber, Machthalter des Quadrats und die Stabilisierung des Rahmens. Man sieht nur mit dem Herzen gut, das Wesentliche (das Wesen, das dahinter liegende Wesen) bleibt dem Auge verschlossen, dem quadratischen Auge in unbewusster Form. Dem quadratischen Auge in bewusster Form (Einweihungsweg) wird das Wesentliche, das Wesen geoffenbart (Initiation). So ist auch der Weg des Herzens (natürliche Illuminati) ein Einweihungsweg, der allerdings alle quadratischen Strukturen in

sich zusammenfallen lässt.
Während der andere
Einweihungsweg sie in die
bewusste Fähigkeit führt,
erhalten lässt, bewachen lässt,
stabilisieren und stützen lässt.
(Künstliche Illuminati) Die
Bomber, Erbauer, Erschaffer,
Halter, Bewacher des
elektromagnetischen Systems,
der Quadratur (das Wesen der
Sache), dem Würfel des
quadratischen Kreises (Die Lüge
- quadratisches Kreisgeheimnis,
dem abgegrenzten Gebiet der
Sache).

Wieder zurück zum Jahreskreis,
dem Schaltjahr. Dabei sollten wir
den Mondzyklus nicht vergessen,
wobei man das

Sonnenjahr dem Männlichen und den Mond dem Weiblichen zuordnet. Dabei möchte ich auch das Bild des letzten Abendmahls von Leonardo da Vinci nicht unerwähnt lassen, in dem Jesus und Maria nebeneinander sitzend sich auf die Seite beugend ein „V“ bilden. Das V steht für Gefäß, weil ihr Körper es bildet, sind sie auch der Inhalt (heiliger Gral). V steht aber auch für victory, das Victoryzeichen. Somit wären wir auch schon bei Versteckungs- und Täuschungssymbolen (V). V steht für Gefäß, V muss aber noch lange keinen positiven Inhalt haben. So ist mit Churchills V nicht die Freiheit in

Anlehnung des V's des letzten Abendmahls, zu begreifen. Das V kann auch einen „quadratischen" Inhalt haben. Das V kann eine bewusste Anlehnung an das Wesen ES oder ES dem Wesen darstellen. Obwohl es eigentlich, außer im Bild des letzten Abendmahls, mir bekannt nur die Anlehnung an das Wesen ES zeigt. Unbewusst, denn sie wissen ja nicht, was sie tun. Gilt auch für andere Zeichen, wie das Longhorn-Satanssymbol-Handzeichen, Allsehendes Auge. Bewusst, ein Zeichen des Zeigens und der Verständigung. Es zeigt ganz offen die

Anlehnung, die Herrschaft, die Ausübung an, für, durch das

Wesen ES durch innere Form des Zeichenzeigers, schützend, erhaltend, erbauend, Schwächungen umbauend, der äußeren Form des Rahmens der Quadratur. Es stimuliert ihre Machterregungspunkte. Bestätigen = Machtrezeptor, andere verarschen = Emotion und beides zusammen gibt den Erregungskick und zaubert ein Lachen in ihre Faces, ihre Dienlichkeit ganz offen zu zeigen. Es stimuliert ihre Machterregungspunkte, die Unbewussten in dieses Zeichen mit einstimmen zu lassen = Emotion, alle hinters Licht führen zu können, die verhöhnende Macht liegt im geilen Elektrizitätsorgasmus ihrer Emotionen, ja das macht gute Laune, das gibt der Macht Sicherheit. Das grüne Ampellicht, die erfahrene Bestätigung ihrer Macht, ist die Blindheit, die Dienlichkeit der Blindheit der Masse. Die Elite, die quadratisch Erleuchteten, die Bewussten, die aus dem Traum erwachten. Die den Traum aber aufrecht erhalten für sie, ein schöner, für ihre dienlichen unbewussten quadratischen Augen (Helfer) ein angenehmer, für den Rest ein schlechter, bis hin zum Albtraum. Das heißt aber nicht, dass, wenn jemand einen schlechten oder gar einen Albtraum hat, keine quadratischen Augen hat, mitnichten. Machtinhaber,

Machthalter der quadratisch künstlichen Welt, die künstliche Matrix.
Somit kommen wir wieder zurück zum Jahreskreis. Der Jahreskreis ist kein quadratischer Kreis, deshalb muss man die Aufmerksamkeit der Bewusstseine im quadratischen Kreis halten. Würde man das nicht tun, würde das Alles, was ist, ES das Wesen, energetisch beginnen zu wirken, die Ursache der Ursache aller Ursachen, das Alles, was ist. Das künstlich erzeugte Bewusstseinsnetz, Festhaltenetz würde brüchig, rissig werden, Unstabilität hat einen Anstieg des Bewusstseins zur Folge, ein Zusammenbruch des Netzes hat

einen Bewusstseinsschub zur Folge.
Diesen Bewusstseinsanstieg, Bewusstseinsschübe bis hin zum absoluten, dauerhaften Herunterfahren, heruntergefahrenes Sein des quadratischen, elektromagnetischen Netzes wird durch den Erleuchtungsweg des Herzens (natürliche Illuminati) erreicht.

Zurück zum Jahreskreis. Die Stunde, die dem Tag „weggenommen" wurde zeigt eines deutlich auf, nämlich dass es nur den Tag gibt, immer nur den einen Tag der Gegenwart, falls wir uns glücklich schätzen können, in ihm zu sein. Somit vergesst nicht, gedanklich im natürlichen Rhythmus zu bleiben, die Sonne steht um 12 Uhr am höchsten, um 1 Uhr beginnt der neue Tag und der alte geht zu Ende. Die Stunde fehlt nicht der Woche, nein dem Tag. Die Spirale wäre wohl die vernünftigste, weil entwicklungstechnisch, die richtigste Empfindung von Zeit.

Eine Spirale entspricht somit einem Fluss, einem Weiterschreiten – Entwicklung. Im Gegensatz zum künstlichen Jahreskreis, der Wiederholung des ewigen Alten. Es symbolisiert eine Männerwelt. Die männliche Kraft. missbraucht durch den fehlenden Teil. Den fehlenden Teil, die weibliche Kraft. Nicht eine 8, nein zwei 8en zeigen symbolisch die Richtigkeit an.

Eine liegende Acht, männlich,
rot und
eine stehende Acht, weiblich,
blau

Hier trennt sich auch diese Symbolik des künstlichen Jahreskreises, an den wir gebunden werden und dadurch die natürliche Anbindung ans Universum.

Die Kraft, die Böses will und Gutes schafft, funktioniert nur, wenn beide Kräfte anwesend sind, beginnt mit der 1. Frage, die tief aus Eurer Seele selbst kommt oder eingeleitet wird durch die drei Fragen: Wer bin ich? Was bin ich? Warum bin ich? Gesprochen vor dem Einschlafen (2x leise in sich hinein und 1x laut gesprochen aus sich heraus).

Ich bin mit Euch schon den anderen Weg gegangen. Was passiert, wenn Ihr in Eurer unbewussten, inneren Form dem herzmagnetischen Alles, was ist, zuzuordnen seid und unausweichlich in die Quadratur des Herrschaftsgebietes auf der Erde geboren wurdet. Elektromagnetismus greift die unvollendete (unbewusste) Überordnung an, das ist ein unbewusster Magnetischer, kann aber auch ein bewusster Selbstläufer sein. Untersteht Euer Nachbar der Quadratur wird er Euch angreifen. Geht Ihr auf ein Amt und unterliegt die Amtsperson der Quadratur wird sie Euch angreifen, Euer Ziel, Ziel des Amtsganges erschweren oder gar verhindern, bis sich Euer magnetischer Schutz aktiviert hat. Arbeitet Ihr dort selbst, habt Ihr es leichter, weil Ihr durch Eure Stellung in gewissem Maß schon in Form gebracht seid. In der elektromagnetischen Quadratur steht der natürliche Magnetismus (Herz) in der Unterordnung von klein, bis miniklein, bis hin zum magnetischen Punkt. Ein vorvollendetes (unbewusste Ebene des vollendeten) kann nicht mehr in die Quadratur der Unterordnung gebracht werden, aber die Seele so weit in die Schädigung gebracht werden, dass eine Weiterentwicklung in diesem Leben nicht mehr möglich ist und in diese Schädigung werden so Manche geführt.

Doch das Herz geht, wie es gekommen ist, vorvollendet rein. Nach dem Tod füllt (erholt) sich die Seele wieder, das Unbewusste wird bewusst und da hört man es schon wieder schreien, das Baby ist angekommen und das vollendete

Bewusste ward wieder vorvollendet unbewusst. Es beginnt das vollendet Bewusste zu vergessen. Viele Quadraturangehörige helfen dabei mit. Q's zeigen dem Kind die Welt. Quadraturohren, die nur Quadratisches hören wollen, Quadraturhände, die es fröstelnd berühren, Quadraturmünder, die unsägliche Wörter sprechen. Damit wären wir beim Errorkapitel Karma, bevor wir wieder einmal zum Jahreskreis zurückkehren.
Zur Betrachtung möchte ich die Farben rot, orange, gelb und weiß verwenden. Was hat dieses oben genannte Kind für ein Karma, im Grunde genommen keines, weil vorvollendet. Gelb = naives

Karma, weiß ist Karmaauflösung, Vollendung bringt das Wort Karma in den Schredder. Übrigens gibt es viele Wörter, besser gesagt Begriffe, die allesamt nur in der Quadratur ihren Bestand haben, weil bestehen ansonsten nicht, die Löschtaste kann man da für sehr lange Zeit gedrückt halten, der Schredder sehr heiß laufen. Manche erklären Karma mit dem schlechten und dem guten Traum, Schönes Leben = gutes Karma, schlechtes Leben = schlechtes Karma. Dann muss man an seinem Karma arbeiten, damit man im nächsten Leben ein gutes hat. Ein Error auf allen Ebenen sozusagen. Leider gibt es viele Dinge, ob alt Bewährtes

oder neu daher Gebrachtes, das schon so manchen Error ausgelöst hat und auslöst. Das ist nur einer Sache dienlich, der Quadratur.
Zum Unterschied, zur Verwirrung ist der Error ein Fehler, der in ein System eingebracht wird. Eine Information, die eine Verwirrung auslöst, ist nur eine richtige Information, die noch nicht verstanden wurde, durch den Vorgang des Verstehens löst sich auch die Verwirrung auf, das Begreifen setzt ein und am Schluss das Begreifen, dass man begriffen hat. Durch Farben erklärt: Oranges und rotes Karma ist das Karma der Quadrilieres, wie angenehm und schön ihr eigener Traum für sie auch sein mag, meist ist es

schädigend für andere, für andere, auch wenn sich jene gemeinsam ihres schönen Traumes erfreuen und wenn sie auch einen Albtraum haben, ihr nicht loslassen Wollen des quadratischen Traumes (Illusion), verursacht Schäden, unbewusst, oranges, bewusst rotes Karma. Grüne Ampel in Anlehnung an Alles, was ist, ist weißes Karma.
Der Wechsel von gelbem = naivem Karma zu weißem Karma = Karmaauflösung. Weißes Karma ist Karmaende. Dabei verhält es sich anders als bekannt. So ist es für Wesen mit gelbem Karma zwar furchtbar in ein Umfeld von überwiegend rotem Karma hinein geboren zu werden, doch bringt diese Furchtbarkeit auch eine große Chance. Die Chance des

Erkennens und die Auflösung der Naivität. Das reine, liebliche Kindlein sollte ja doch mal erwachsen werden. Und ist es erwachsen, hat es keine naiven Äuglein mehr, doch die Reinheit, wie soll es anders sein, bleibt erhalten. Und die Kraft des vollendeten Herzens kann geerdet, zu seiner Vollendung finden. Die Erbengemeinschaft des rote-Nasen-Karmas wird feurig getragen durch das Licht der Unterstützung, gehalten durch die Liebesfähigkeit der gelben Naivität. Ach, was soll ich sagen, Goethe soll mir diese Worte nicht neiden, wenn doch, wechsle ich über zu Shakespeare. Sein

oder nicht sein, das ist hier die Frage.
Hattet Ihr einen Lachkrampf?
Dann ist es gut. Note Eins, setzen.

Karma:
Die Ahnungslosigkeit und die Macht

Wenn es zwei „Eigenschaften" sind, die uns ans Rad der Wiedergeburt in der 3. Dichte binden, dann ist es wohl die Ahnungslosigkeit und die Macht. Jeder Mensch, der in seinem Leben, mit seinem viereckigen, begrenzten Bewusstseinshorizont in der Ahnungslosigkeit verweilt, fühlt wohl, wie Manche, ein angenehmes, doch zur Wiederholung, zwecks Bewusstseinserweiterung, verdammtes Leben.
So könnte man daraus schließen, dass ein Arzt nur den Beruf eines Arztes ausübt. Das Menschsein ist das Fundament des Humanoiden, der sich

Mensch nennt, das ist das
einzige, das immer war und
immer ist in seinem Dasein und
darüber hinaus. Manche behelfen
sich mit einer Visitenkarte mit
der
Aufschrift, um beim obigen
Beispiel zu bleiben, „Arzt in
Ruhestand". Denn nach erfolgter
Pensionierung wären viele dieser
Persönlichkeiten für ihre
Mitmenschen noch mit ihrem
einst erworbenen weltlichen
Status, denn sie sind ja wer und
das wollen sie durch das
Verhalten ihrer Mitmenschen
auch honoriert wissen. Eine
verachtende, unhöfliche, des
Öfteren sogar bösartige
Überheblichkeit haben sie für
ihre Mitmenschen im

Lebensreisegepäck, das nur bei noch stärkeren Statuskollegen als sie es sind, nicht ausgebracht wird und durch einen ergebenden Kniefall ersetzt wird oder die Potentiale mit gegenseitiger Beweihräucherung untereinander deaktiviert werden. Wie sagen da manche so treffend dazu: nach oben hin schlecken nach unten hin treten.
Trifft für alle Machtmenschen zu!

Zurück zum Jahreskreis.
Schauen wir mal, wie weit der Muttermund schon geöffnet ist, denn eine runde Sache braucht keine Ecken, soll doch eine sanfte Geburt werden, sein. Und wieder zurück zur Pyramide und

der Himmelstür (Apis). Die Sphinx wollen wir uns auch noch anschauen usw. Kommen wir nochmals zum Sinnbild der antiken Weiblichkeit. Was würde geschehen, wenn ein Obelisk (Phallus der Quadrilieres) in die Vagina einer antiken Weiblichkeit (nackte Verhülltheit) eindringen würde? Noch eine Frage, was würde geschehen, wenn ein dazu passender Phallus in die Scheide der antiken Weiblichkeit eintauchen würde? Der Jahreskreis ist kein Kreis im Sinne eines quadratischen Kreises. Der Jahreskreis ist eine Jahresspirale. Wiederholungen von Jahreszeiten sind in Spiralform zu betrachten und auch im Atem zu begreifen. Der Sonnenzyklus sowie die Sonne ist nicht männlich, angelehnt wie der Mond nicht weiblich. Der weibliche Zyklus ist ein eigener und bei aufrechter Monatsblutung in einer individuellen Bandbreite. So stellt auch das Kommen und Gehen von Jesus keinen Kreis dar, sondern eine Spirale. Fortgeschrittene Seelen der höheren, einzigen Ordnung (Wahrheit) müssen nicht über die Spirale reisen, sondern können den Lift benützen. Wie darf man sich das vorstellen. Das Bewusstsein reist entlang der Spiralform (räumlich nach oben, obwohl es kein räumlich gibt). Diese Reise ist eine

Bewusstseinserweiterung. Das zielende Ziel der Seele ist, mit der bewussten Spiralreise beendet, der Zug findet seinen Seelenfrieden. Ein vorvollendetes Herzkonvolut steht in einem nie enden wollenden Dauerzug, der, je nach Lebensphase, leicht bis sehr stark ausfallen kann. Ist die Seele in die, ihre Heimatstruktur zurückgekehrt, hat die Reise über die Spirale begonnen und das Ziel der Seele erreicht, dieser Weg war und ist das Ziel, weil es außer diesem Weg nichts gibt. Es gibt nichts mehr, was man suchen müsste, das Bewusstsein wächst ganz von allein, alles ist im Fluss, alles fließt, diese Reise hat ihre ganz

eigene spezifische
Geschwindigkeit, entweder Ihr
surft noch auf dieser sanften
Welle oder Ihr seid bereits ein
Teil der Welle selbst. Die
Fließgeschwindigkeit des Flusses
könnte Euch fast an Eure
nächtliche Voreinschlafwelle
erinnern, aber ins voll
energetische Tagesbewusstsein
gebracht (sozusagen ohne
Müdigkeit, ganz im Gegenteil mit
angenehmer fließender Vitalität).
Des Euch an das Gefühl des
Lebens erinnert und das Ihr
schon in Euch wahrnehmen
konntet, als Ihr noch unbewusst
wart. Manch einer möchte sich
durch Meditation daran erinnern.
Knapp vorbei ist auch daneben.

Der Magnetismus Eures Herzens, der Zug Eurer Seele wird Euch in den Fluss des endlos Ewigen führen. Der Weg ist das Ziel. Und wenn Eure Reise durch, auf, in der Spirale schon einige Zeit gedauert hat, könnt Ihr geistig körperlich den Lift benützen, der linear entlang der Spirale führt, je nach Stockwerk mit oder ohne Körper, die Sphären oberhalb der ursprünglichen Einstiegsstelle sind nur geistig erreichbar. Wichtig! Sollten aber nur betreten werden, wenn man sie voll geerdet geistig erreichen kann. Eine Enterdung, um solche Sphären zu erreichen, ist nicht ratsam und diese Regel bitte für Euren ganzen Entwicklungsprozess beachten!

Was man aber kann, ist von seiner Einstiegsstelle aus, die Spirale hinunter zureisen. Aber, um in die Quadratur zu kommen, ins innere System der Quadratur, muss man in dieses Feld hinein geboren werden. Deshalb können Informationen wirklich nur geerdet werden, wenn man in die Quadratur hinein geboren wurde. (siehe Jesus). So kann man so was wie Jesus verstehen, der Informationen in der Quadratur erdet und im Immanuel ist jener Reisende auf der Spirale, der seine Hand ausstreckt und von außen wartet. Deswegen sollte man aufnehmen, was Jesus gesagt hat und das ist die Überleitung zu Immanuel (Gott mit uns). Wenn also ein vollendetes „Spiralwesen“ in den Lift steigt, herunterfährt, sein Licht in das vorvollendete Herz des Vergessens des Geburtsschleiers bringt, um in die Vollendung des Herzens zu gehen. Um in der Quadratur geboren zu werden, dazu braucht es schon viel Liebe und den Mut des Wissens, dass sich ein solches Wesen rasch wieder in der Quadratur vom vorvollendeten zum vollendenden Herz hinbewegt, gebracht von der Spiralform in die Quadratur, Exit/Spiralform.

Dann ist das nicht ein netter Ausflug, sondern bringt etwas, verankert, erdet etwas. Somit ist geerdete Information immer ein Exit. Ein Exit aus der

Quadratur in die Spiralform.
Schaun wir mal nach, wie lange
das nach dem Erwachungsimpuls
bei Jesus gedauert hat, wie kann
es anders sein, es waren 3
Jahre. Das könnte man auch noch
herunterzählen. 3 Monate, 3
Tage, 3 Stunden, 3 Minuten, 3
Sekunden. Aber manche mögen
das Hinauf- zählen ja lieber. 30
Jahre, 300 Jahre, 3000 Jahre, noch
habts ja Zeit, sind ja erst 2000 Jahre
(kleiner Scherz am Rande).
Natürlich konnten sie das so
nicht lassen. Und haben die
Lehren Jesus soweit beschnitten
und verfälscht, um eine
Verbindung zu ihrem
quadratischen Werken zu
vollziehen. Es handelt sich um
einen Kreis, der nicht in der

Quadratur liegt und geschlossen ist, sondern den Beginn der Spirale darstellt, um einen Exit, Ausgang aus der künstlich elektromagnetischen Quadratur in das wirkliche Sein, in die Frequenz der Ursache aller Ursachen allen Seins. Aber die Aufmerksamkeit wurde wie immer auf die verbergende Lüge gelenkt, auf die angebliche Wahrheit und die Stabilisierung des Rahmens Q. Die Jesusgeschichte wurde sozusagen in die Quadratur hinein assimiliert, aber dort kann man sie aber auch wieder heraus vervollständigen. Betrachtet, auch eine Blume, sie hat einen Stängel, der ist rund. Die Blume wächst, betrachtet Euch die

Blüte, die Blätter. Eine runde Geschichte braucht keine Ecken (Eine runde Geschichte hat keine Ecken). Siehe auch Goldener Schnitt, Fibonacci Code. Die Blume ist die Wirkung, angeschlossen an die Ursache ES dem Wesen, wessen Wesen? Dem ursprünglichen Wesen aller Dinge, dem Ursprung allen Seins, der Urquelle (Schöpfer) ES das Wesen. Schöpfer deshalb in Klammern, weil sich der quadrillische Homo Sapiens schon so viele Götter erschaffen hat und sich erschaffen lässt. Alles Lebendige, alles Ursprüngliche liegt im Wesen, in ES dem Wesen und das ist das Wesentliche, die Wahrheit.

Manche nennen ES den Schöpfer. Bitte mal laut aussprechen, das E langgezogen. Und bevor Ihr in die Meditationsstarre fällt, kommt hinter ES das Wesen. (weich gesprochen). Sonst könntet Ihr bei nochmaliger Wiederholung einschlafen. So ist auch Hass kein Gefühl, sondern eine Emotion. So lässt Euch die Emotion kraköhlend ins Fußballstadion ziehen. Genau wie früher die Menschen in die Gladiatorenarena oder dann später die Menschen zu einer Hexenverbrennung gebracht wurden. Es sind die Emotionen, die Euch Hollywood und Musikstars vergöttern lassen, bis so Mancher ohnmächtig zusammenbricht. Es sind die Emotionen und die Erregung der Macht, die Euch vor Euren Göttern auf den Knien rutschen lässt und die Menschlichkeit auf dem Machtaltar in innerer Anlehnung zu Euren Göttern, niedermetzelt. In jeglicher Form und jeglichem Ausdruck zu diesen Göttern gehört nicht nur Allah, Jehova und Co., sondern auch der Kapitalismus und Co. Und ihrer zahlreichen Wissenden und unwissenden Helferlein.

Ja, Mensch, liebe einen Gott, am besten einen, der den letzten Rest Eurer Menschlichkeit auslöscht. Dabei wäre die beste

Antwort ein NEIN. Die Menschlichkeit, die Euch zu diesem NEIN bringt, führt Euch direkt zum wahren Schöpfer selbst. Eine schöne Erfahrung. Es gibt viele schöne Erfahrungen, die sich der Mensch vorenthält. Es wird Euch immer gesagt, dass Ihr den Schöpfer lieben sollt. Dabei haben Viele nicht erkannt, dass, wenn sie lieben, immer den Schöpfer lieben. Nur das werden Euch die falschen Götter nicht sagen. Und weil wir gerade dabei sind, wie sollte das Paradies beschaffen sein? Soll es eine wüste Fläche sein? Oder soll es bewässert sein, soll es in diesem Paradies Pflanzen geben? Es gibt Menschen, die das Paradies schon gefunden haben. Die innere Qualität, diese zu erfassen, ist auch etwas, das Ihr Euch vorenthaltet. Dabei sendet die Erde durchgehend die einzig wahre Frequenz für Alle, für Jeden.

Informationen wären genug da, die Fähigkeit bei 10 Fingern, 1 + 1 zusammen zu zählen, auch Informationen finden sich quer durch die Geschichte wie verdreht, verschoben oder verfälscht sie auch immer sein mag. Auch die gegenwärtliche Gegenwart ist wie jede gegenwärtliche Gegenwart vollgestopft mit Informationen und Impulsen. Möge Euer Herz tragfähig genug sein, um irgendetwas davon wahrnehmen zu können. Nicht im Sinne, die Guten ins Töpfchen, die Schlechten ins Kröpfchen. Sondern die Guten ins Kröpfchen, die Schlechten in den Entsorgungseimer. Wenn Eure Wahrnehmung beginnt zu greifen und auch Eure Augen und Ohren zu sehen und hören beginnen, ist aber alles gut, wie es ist, denn wie es ist, ist alles da, was es zu erkennen gibt und gilt. Alles möchte von Euch angeschaut werden, alles erkannt und losgelassen, was nicht mehr gebraucht wird. Vergesst nicht, der Willi kann viel wissen. Willi-Wissen ist nicht, denn nur wenn Ihr ganzheitlich wisst, dann ist es. Real ist, was real ist. Ob im Ursprung, als auch der Wirkung. Welche Informationen auch immer da sein mögen, die tragende Energie dieser Welt ist die elektromagnetische und deshalb soll auch keine Ideologie hochkommen, die dieser Weltenenergie nicht tragend, festigend, stabilisierend, entspricht.

Und jetzt auf die andere Seite, den magnetischen Wesen, dem fließenden Management und dem System der Fülle, der Hochzeit und der bevorstehenden Hochzeit im Sinne von Hohe Zeit. Hochzeit im Sinne von Vermählung, obwohl beide in ihrer Energie dasselbe tragen und nur der Ausdruck (Form) ist ein anderer. Zuerst kommt die innere Hochzeit (Vermählung), Harmonisierung, vollzogene Heilung von männlich und weiblich in, mit, durch den Herzmagnetismus, Vollendung, Ganzheit, Einsgewordensein, Einheit, denn eine runde Sache braucht keine Ecken mehr. Beginn der Hochzeit der Hohen Zeit, denn eine runde Sache hat keine Ecken mehr, eine hohe Zeit endet nie wieder „8" (und liegende 8). Wann auch immer, folgt die äußere Vermählung (Zwillingsflamme) wie innen, so außen. Schon seit Äonen wird das voneinander ferngehalten, was zusammengehört, das zusammengefügt, was nicht

zusammengehört und
zusammengehalten, was nicht
zusammengehört.

Der Mensch soll das nicht
trennen, was der Schöpfer
zusammengefügt hat (Trauung).
Und zusammen fügen tun die
Vertreter Gottes in der Welt,
die selbst und Trick ernannten
Vertreter Gottes. Auf der einen
Seite zeigen sie die Wahrheit,
denn sie sind ja wirklich
Vertreter Gottes. Gottes Neues
Testament, Jehova, 3x Gott, 3
auserwählte Völker, es ist aber
nur einer immer derselbe und er
tritt auch nicht da das erste Mal
in Erscheinung. Es muss auch
nicht unbedingt auch nur immer
einer sein, das hat auch

gewechselt in den Zeitepochen, es kann auch ein Konvolut an Göttern sein, das dahinter liegende Wesen ES auch Luzifer/Satan genannt. Und der Papst und Co. sind die Vertreter dieses Wesens ES. Aber nicht von ES dem Wesen, von dem Schöpfer, von dem Jesus spricht. Dem Wesen ES kommt es auf die Tragkraft an, in welcher Form auch immer, die Tragfähigkeit muss passen. So ist es egal, ob das Christentum oder der Islam etc. pp die größte Weltreligion ist, die Energie des Wesens ES muss tragfähig in Form (Ideologie) gebracht sein. Deshalb ist es auch egal, ob eine Frau ideologisch verschleiert wird oder ein Kind ideologisch

mit 3 Jahren frühsexualisiert wird, die dahinter liegende Energie, das dahinter liegende ist immer das Wesen ES. Auch die Ego-Maschine amerikanischer Traum ist das Wesen ES. Das Wesen ES ist in Vielen, in dieser Welt liegt hinter Vielem und versteckt sich hinter Vielem, Vielen, Vieles.
Und an dieser Stelle möchte ich Euch, so wie ich es Euch in der Betrachtung gezeigt habe, zeigen, es sind alle inneren Strukturen, die einer Reduzierung unter dem vorvollendeten Herzen unterliegen, als künstliche Strukturen zu begreifen. Solche inneren Strukturen erschaffen Ideologien und äußere

Strukturen in ihrem Bilde gemäß den Möglichkeiten ihrer inneren Struktur. Für die Natur ist das noch erträglich. Für die wahre Natur geht das schon stark in Richtung Zombie. Ein Zombie ist eine tote Kreatur mit scheinbar noch lebendem Körper. Aber genau das beschreibt es am besten, der Körper ist zwar nicht Zombie gleich, aber der Inhalt ist gemäß der wahren Natur tot. So ist ein Verstorbener ohne toten Inhalt nicht tot, aber diese Qs, die sind tot. Lebende Tote. Und diese Toten hassen nichts mehr als das Leben. Es wird gegen das Leben (Natur) gekämpft, wo es nur geht und gegen die wahre Natur des Menschen noch viel mehr.

Sie bekämpfen einen Feind, den es nicht gibt. Sie bekämpfen einen Feind im Außen, der zu 100 % nur sie selbst sind, waren. Außer dem Leben gibt es nichts, ob nun mit oder ohne Körper, es ist Alles, was ist. Ob vergeistigt verkörpert oder nur vergeistigt. ES ist, alles, was ist – ICH BIN – DU BIST – WIR SIND/ES das Wesen in meiner Form, in Deiner Form, in der Form unseres kollektiven WIR, wir sind ein Teil von ES, dem Wesen in seiner wahren Natur. Und sowie die Hochzeit eine Verschränkung in der Schwingung bildet, tut es auch die Liebe und das Leben, aber nicht nur das, auch die Harmonie, das Scheinen des Glücks, die

Ruhe und der Gleichwert gehören zur Ganzheit der alles durchdringenden, durchwirkenden Energie = Frequenz = Radiosender = angeschlossen im Innen und Außen. Begrüßend im Reigen der zahlreichen Energiekollektive im Raum ihrer eigenen Besonderheiten der Urblaupause des Schöpfers von Allem, was ist, gemäß dem ICH BIN der eigenen individuellen Urblaupause.

Ich möchte Euch noch eine andere Betrachtung hinzufügen, die ich an anderer Stelle noch weiter ausführen möchte. Natur, wahre Natur, künstliche Natur.

Weiter mit dem Wesen ES. Das Wesen ES hat viele Formen und Gesichter, es muss nicht immer eine große oder zwei, drei größere Formen von dem Wesen ES sein, um die Welt von ES zu stabilisieren. Manchmal kommt es auch darauf an, durch viele verschiedene Formen in Masse, die vielleicht Erwachungsanfälligen zu verwirren, Error, das gibt auch eine stabile Tragkraft, dann sieht man nämlich wirklich den Wald vor lauter Bäumen nicht mehr. Und man schreit nach Papi und Mami Quadratur, damit man wieder eine stabile Sicht auf die Welt bekommt und diese in einem solchen Fall nie geizen mit ihren Reizen, räumen Euch den

Kasten wieder ein, Ihr steht einstweilen mit verbundenen Augen da und wartet. Sie sagen Euch, was sie einräumen, wo sie es einräumen, warum sie es einräumen. Du, dann nehmt Ihr die Augenbinde ab, seht genau das in Eurem Kasten. Nichts anderes passiert, wenn Ihr den TV, das Radio usw. einschaltet. Sie haben im Kindergarten (Elternhaus) schon begonnen, für Euch Euren Kasten einzuräumen, umzusortieren, wegzuschmeißen, neu zu bestücken und den Inhalt des Kastens zu erklären und das werden sie Euer Leben lang machen, wenn Ihr nicht in Eure erwachsene Selbständigkeit kommt, selbst steht, wirklich durch Eure eigene Wahrnehmung

steht, gehalten und getragen seid. Zurzeit wird fleißig umgebaut auf der Bühne (Malerkübel) von dem Baumeister. Mit einem ganz großen Überbegriff Toleranz. Mit dem Überbegriff Toleranz bekommt man diese ganze gewürfelte „Baumeister Suppe", die Stabilisierung und Verwirrung – Error, der angeblichen „Feinde" in einen quadrillianischen Erregungszustand-Topf. Das war wieder mal eine Leistung der quadrillianischen Manager, Sachverständiger, Berater und Experten, das gibt wieder einen saftigen Bonus, ein lecker Honorar.
Also, alles läuft unter dem

Überbegriff Toleranz (Tolare) = Ertragen. Ertragen hat, alles zu müssen, von den fauligen Wurzeln bis zu den schlutzigen, fauligen, giftigen, verseuchten Gewächsen daraus. Ihr sollt nur eines nicht tolerieren, Gewächse einer anderen Art, umso gesünder die Wurzel ist, umso weniger dürft Ihr diese anderen Gewächse tolerieren. Haltet Euch an die Regeln der Toleranz (nicht zu verwechseln mit Leben und Leben lassen, denn die Plastikblume wird in dieser Welt als Leben bezeichnet und die echte bekämpft). Falls sich da wirklich Mehrere hart tun sollten damit, werden wir so ein paar Umerziehungslager oder einem Gedanken entspannende

Beugehaft in Gefängnissen und Psychiatrien nicht ausschließen. Ja, die spinnen ja, die Römer (Antike). Ja, die spinnen wirklich, deshalb führen ja alle Wege nach Rom. Auf alle Fälle braucht es in dieser Quadrillia wirklich eine gute Verdauung und einen noch besseren Humor. Aber weil wir gerade bei Rom sind, dann machen wir da weiter, wo wir irgendwann vorher mal waren, beim Papst und Co (KG) der verwahrt ja ein Schlüsselchen, das Petrus Himmelschlüsselchen. Der Papst und Co (KG) ist aber nicht dazu da, um mit diesem Schlüsselchen aufzuschließen, zumindest nicht die Pforte von Allem, was ist, denn diese Türe

wollen sie nach Möglichkeit verschlossen halten.
Übrigens, ein interessanter Vorplatz, den dieser Dom hat und so ein schöner Obelisk, ein Obelisk hat ja im übertragenen Sinn auch eine Schlüsselfunktion. Aber nur so am Rande erwähnt, man sollte Obelisken nicht krampfhaft überall hineinstecken, könnte auch mal nicht gut ausgehen. Im Übrigen ist mir diese quadratische Satzformel für das Wesen ES viel zu lange (elektromagnetisch, satanisch, künstliche Matrix...) deshalb verkürze ich das ganze jetzt auf Q oder QES? Nein, machen wir Q.

Über das Quadrat zum Rechteck

Das Quadrat symbolisiert die Welt in der Form ohne geistigen Raum. Magie, Okkultismus etc. pp. bedarf aber eines geistigen Raumes. Die Bewegung des Geistes, um geistig etwas zu bewegen oder zu verankern oder zu stabilisieren. Und das ist im Königtum des Gehirns nicht vorgesehen. Deshalb wird es künstlich, rituell initiiert. So verlängert sich die Machtherrschaft des Quadrats auf ein Rechteck. Dieser „geistige" Raum ergibt sich durch die Bewegung von Licht. Bewegung von Licht erzeugt auch einen Überschuss an natürlichem

Magnetismus. Alles ist mit natürlichem Magnetismus miteinander verbunden (Erdmagnetismus / Kosmischer Magnetismus) und lässt Abstände und Nähe bestimmen. So ist der Abstand von Erde und Sonne kein Zufall. Sondern unterliegt der Vergeistigung des Raumes. So kann Magnetismus Bewusstsein bewegen, aber auch beschränken. So ist der Freimaurerteppich nicht quadratisch, sondern rechteckig. Also um die geistige Komponente verlängert. Eine geistige Komponente, die es gar nicht gibt, also künstlich erzeugt ist. Dieser gestohlene Magnetismus hält die Welt zusammen. Um das tun zu können, braucht es eine

gleichbleibende Spannung.
Deshalb die Farben schwarz / weiß. Eine künstliche, kymnische Hochzeit sozusagen. Da es auch diesen künstlichen, geistigen Raum nicht gibt, also in natürlicher Form, sind die dort beheimateten, körperlosen Dämonen, Devas, Archonten etc. pp. auch nicht real. Nicht-Realität mit Wirkkraft. Dieser natürliche Magnetismus verkehrt in künstlich, bildet den äußeren Rahmen des Rahmens.
Es wird ein Spannungsfeld erzeugt, das die Erde mehr oder weniger vom restlichen Universum abschirmt. Also ein künstliches Reich, abgespalten in Allem, was ist. Ein falscher Teil des Ganzen sozusagen. Ein

künstliches Königtum mit einem künstlichen Gottesthron der künstlichen, geistigen Welt. Der künstliche Magnetismus hat den natürlichen Magnetismus der Erde verstellt. Deshalb liegt der Magnetismus der Erde nicht direkt auf den Polpunkten, sondern seitlich auf beiden Seiten verschoben. Und das erzeugt ein anderes Spannungsfeld auf der Erde. Da das Bewusstsein des Menschen aber mit der Erde verbunden ist, muss das Bewusstsein über die Erde hinausgreifen. Zuerst muss aber dieses Bewusstsein vorher den Gürtel der künstlichen, geistigen Ebene des künstlichen, geistigen Bewusstseins das Innerliche, (geistige

Fatamorgana) übersteigen. Für sich entwickelnde Bewusstseine ist es ein Irrlicht. Für Okkultisten ein künstlich-geistiger Raum mit dem sie arbeiten. So ist ein Satanist jener, der die Energie erzeugt und Okkultisten jene, die damit arbeiten.

Was also einst ein begrenztes Gebiet auf der Erde war (Garten Eden), ein beschränkter Machtbereich, weitete sich auf die gesamte Erde aus (siehe wachsendes Krebsgeschwür). Das wiederum stört die kosmische Uhr.
Kymnische Hochzeit/Q:

1+1=2+1=3 (1 weiblich + 1 männlich), unten Erde, oben Himmel, die Verbindung von Himmel und Erde, die kymnische Hochzeit = Feuerwasser = Herzebene, Gefühlsebene, Herzebene, Geistige Ebene auf dem Punkt = Null

Die 4 Säulen

Die 4 Säulen in der Freimaurerei oder doch 3. Die verschobenen 4 ergeben drei. Das Quadrat ist 4 = Materie, der verschobene Winkel des Pols ein Rechteck, durch die Verschiebung der drei Säulen. Die Himmelsleiter im Bild steht schief, in der Ecke ein Kompass. Diese Verschiebung macht einen

Raum auf, den es nicht gibt. Die Verschiebung beim Menschen ist aber seitenverkehrt = gebeugtes Licht. Das erzeugt wieder ein X, X-Faktor. Das wiederum ist eine Verschränkung, daraus kann auch eine liegende 8 gezaubert werden. Das X kann man nicht mit dem Rahmen eines Rechteckes darstellen. Die 8 schon. Die 8 ist die Verlängerung von X zum Rechteck. Die 8 ist liegend, weil aus der Vogelperspektive. Also, vom All aus bedeckt das Rechteck alle Kontinente der Erde. Da es auch eine Höhe hat ist es ein Quader. Die unendliche 8 ist also eine endliche. Zumindest im Sinne von bewohnbar. Im Sinne von bewohnbar? Schaut raus ins

Weltall. Da tummelt es sich voll von Leben, nicht? Wie denn auch, ist es doch das WELT ALL, das WELT Alles. Ein ziemlich lebensunfreundlicher Raum, würde ich mal sagen. Und wenn man in der Nacht in den Himmel blickt, gibt es nicht, was da ist. Man schaut nur in eines, in die Vergangenheit und umso weiter weg, umso vergangener ist es. Aber nun zum Freimaurerbild zurück, die Darstellung ist in einem hochgestellten Rechteck dargestellt, im oberen Teil der Darstellung befindet sich der geistige Raum.

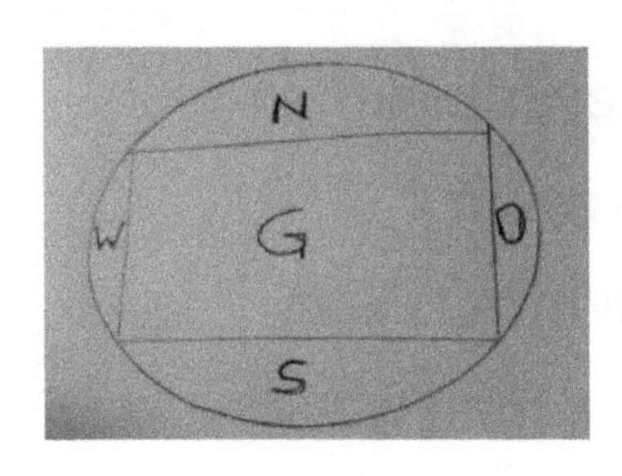

Freimaurerbild aus
Freimaurerwiki.de

Vom All aus gesehen ist es aber ein liegendes, nicht hochgestelltes Rechteck, kurz erwähnt, weil wir gerade mal da sind im All (Alles, was ist), wechseln wir zum Weltall. Vom Weltall betrachtet sehen wir die Erde nur in der Vergangenheit. Vom All aus betrachtet in der Gegenwart. Schauen wir zurück in ein anderes Kapitel. Was liegt um uns herum? Die Gegenwart, was liegt noch um uns herum? Das Unschaubare. In was kann man aber eintreten? In das Unschaubare, um es schaubar zu machen. Was ist um Euch herum? Alles, was ist, was ist in Euch? Alles, was ist. Aus was besteht Ihr? Aus Alles, was ist. Guten Morgen, auch schon in der Suppe gelandet, von Alles, was ist. Oder träumt Ihr noch den Traum der endlichen

Unendlichkeit. Jetzt gehen wir wieder zurück (Kapitel) hüstel, nach vor im Kapitel über die Darstellung im Freimaurerbild. Ist Euer Bewusstsein schon im Schwimmkurs, im Fluss des Fließens? Jetzt passt dieses Kapitel genau in das hinein. Vorher ist nicht Vergangenheit und vorher ist auch kein Zurück in derselben Gegenwart. Schreit Euer Gehirn noch aus Angst zu ertrinken oder hat es sich schon in die Sicherheit eingeklinkt und den Boden seiner Zuständigkeit gefunden? Ok, das Rechteck steht also aufrecht, weil etwas (vermeintlich) Höheres eben durch ein Oben dargestellt wird. Obwohl ein augenscheinlich oben überall ist. So ist das nicht

Erschaubare auch um uns und wird mit der Erweiterung des Bewusstseins erschaubarer, somit aber auch das vermeintlich Höhere. Ist aber im Weltall überhaupt kein Leben zu finden? Im Weltall. Gut, im Lichte des jetzigen, menschlichen Massenbewusstseins, ja, könnte es da schon noch etwas Leben geben. Höher entwickelt im Bewusstsein im Weltall? Nein. Im Hinblick von quadratischer Technologie und Quadratursystem, deshalb rechteckiger Höhenflug, ja. Aber, glaubt mir, die wollt Ihr offiziell nicht kennen lernen. Oder wollt Ihr wirklich Eure eigene Zukunft in Eurer Gegenwart sehen, die immer in die Vergangenheit schaut? Die Vergangenheit, die Eure Gegenwart erschaffen hat, um die Zukunft der Vergangenheit zu erschaffen. Oder die Zukunft, die nicht möchte, dass die Vergangenheit die Zukunft vollendet und Eure Gegenwart zum Stehen bleiben bringen möchte. Ah, ja, also gibt es zwei Qs, die einen sind brandgefährlich, die anderen weniger. Aber viel wichtiger ist es doch, was Ihr seid. Es gibt 3 Zeitlinien, wenn man es so sehen möchte. 3 mögliche Räume, die um Euch und in Euch sind, die sich zurzeit überlappen. 2 Zeitlinien, Q1 Zeitlinie A. Wobei sich die zwei Zeitlinien Q in Q und QA teilen. Gut, jetzt ist das

Rechteck gedreht und liegt, stehen wir auf der Erde, ist also das vermeintlich höhere im Osten und wir als Betrachter im Westen, also drüben. So ist das vermeintlich höhere drüben oder oben? Das Bewusstsein von Allem was ist, ist aber überall und über dieses Überall erfahrbar, innerlich und in weiterer Folge äußerlich begehbar, somit anwesend auf allen unseren Wegen. Es gibt keinen Ort, zu dem man hinmuss, weil der Ort ist man immer selbst durch die Aufhebung des X-Faktors in uns. Der X-Faktor ist zwar durch andere gebunden, noch da. Doch unser Bewusstsein ermöglicht es uns, das Wesen ES zu betrachten und zeitgleich

ES das Wesen zu erfahren. Das Wesen ES ist ein abgehackter, nicht fließender, deshalb disharmonischer Satz. E(eee)S - das We(eee)sen, ein fließender harmonischer. Diese 3 Worte haben durch ihre Wortreihung die Möglichkeit, etwas Wesentliches zu übertragen, nämlich das dahinter liegende Wesen. Um über die Wortschwingung etwas erkennen zu können, bitte laut aussprechen.

Hat man das dahinter liegende Wesen (Energie) erst einmal erfasst, kann man diese 2 Sätze auch so formen. ES das Wesen/die Entität ES. Und da Hollywood ja immer so ein

Bedürfnis hat, ein Bedürfnis der Macht entstiegen, ES des Öfteren zu zeigen, denn wo versteckt man am besten ein Geheimnis, das ja in Wirklichkeit keines ist, weil Machtstrukturen für jeden sichtbar sind und ein anderes Geheimnis, das offen am Tisch liegt und deshalb nicht als Geheimnis gewertet wird, weil, ein Geheimnis wird ja versteckt und von anderen gesucht. Wo ist also das beste Versteck für ein Geheimnis, da wo keiner sucht, offen am Tisch und da sehen es auch die wenigsten. Also zurück zu Hollywood und dem Film ES (der Clown) kommt schon in die Nähe zur Entität ES, so wie Vieles in die Nähe von der

Entität ES kommt. Aber die Entität ES versteckt sich doch nicht wirklich, schaut mal auf Euren Tisch. Habt Ihr sie da entdeckt, findet Ihr sie auch noch an vielen anderen Stellen. Vergesst aber nicht, diese Filme zeigen nie wirklich die ganze Wahrheit, Ihr könnt es aber als eine böse bis bitterböse Parodie auf die Weltenwahrheit, wie kann es anders sein, mit Andeutungen, in einem oder mehreren Punkten der Nicht-Güteklasse, mit Verdrehungen, Auslassungen, Verwirrungen etc. pp., ansehen. Parodie deshalb, weil in Anlehnung an den verhöhnenden Humor der Macht. (der Clown ES, der Zauberer von OZ, des Kaisers neue Kleider, sie

leben, die Truman-Show,
Hungerspiele,
der Da Vinci Code, etc. pp.) viele
etc. pps.

Freimaurerzahl 33? Es gibt nur
die eine 3, eine 33 gibt es nicht,
deshalb ist 33 immer 3+3=6.
33=0.
Also die Zahlen, einstelligen
Zahlen, 1, 2, 3, 4, 5, 6, 7, 8, 9,
dann würde die 10 kommen. Ohne
die 0 würde es nicht
weitergehen. 1+0=1, 0-1=1-, siehe
Schule, 1- ist schlechter als die
1, das würde jetzt aber die 2
andeuten. Also in den Köpfen
steckt, eine 1- ist fast eine 2. Da
spricht aber das - dagegen. Weil
die 2 mehr ist als 1 ist. Also
müsste ein +, also 1+ stehen.

Denn das Minus würde das andeuten, was vor der 1 steht. Was steht vor der 1? Schauen wir uns die 1 an. Die Eins ist 1, also ein Gesamtes, ein Gesamtes ist aber schon wieder ein Vielfaches. Schauen wir uns eine Tomate an. 1 Tomate ist eine Tomate, aber die Tomate ist ein Vielfaches, um eine Tomate zu sein. Was steht vor der 1, die 0. Das Vielfache der Tomate ist eine 0. 1 Tomate + 1 Tomate ergibt 2 Tomaten. Tomate ist Tomate, somit teilen sie sich die 0. So teilen sich aber auch 4 Tomaten die 0. Es gibt kein +0 und kein 0-. Also würde es auch keine 10 geben, weil die 0 nicht zur Menge gehört, sondern zum Vielfachen der Menge, die es erst möglich macht, eine Menge 1 usw. zu sein. 0, die Null in der Menge 10 ist also nicht die Null des Inhaltes, der die Menge beginnend mit 1 entstehen lässt. Also würde es so gesehen, keine 10 geben, sondern immer nur die 1 für Tomate. Das Ende wäre die 9, 9 Tomaten. Es gibt aber mehr wie 9 Tomaten. Egal, aus wie vielen Tomaten Ihr Euren Salat macht, es ist immer die Tomate. Egal ob sie klein, groß usw. ist. Es ist eine (1) Tomate. Also, 1 Tomate, Überordnung, 0, Null rechts, links Null. Alles Null. Im Grunde genommen ist auch die 1 eine Null. Aber, wenn sie da wäre, wäre sie nicht mehr sichtbar und im nichtgeoffenbarten Raum von 0 und dieser ist rein vergeistigt und unverstofflicht. Das große NICHTS, DAS ALLES IST. Gentechnik usw. die reduzierte Null oder die Tomaten, die nicht mehr nach Tomaten schmecken, riechen. Die Rosen, die nicht mehr nach Rosen riechen. Der X-Faktor in und außerhalb von Euch. Q löst eine Krankheit aus, also, 0 steht unter Angriff. Die Krankheit wird mit Q-Medizin behandelt, das zwar Q angreift und beschwichtigen kann, aber Q greift auch immer 0 mit an. Antibiotika, Penizillin etc. pp. Wenn der Beelzebub Mephisto austreibt. Die Krankheit, wenn Mephisto das 0-System angreift. Die Q-Medizin / Nebenwirkungen, wenn der

Beelzebub Mephisto austreibt. Wenn dich jemand fragt, kann ich dir helfen? Kannst du mir helfen oder gehörst du zum Problem, frage dich, wenn du Hilfe brauchst, gehört er zum Problem (Q) oder kann er mir helfen?

So töten und schädigen Qs Andere durch das Q-System oder im oder mehr noch, sie zwingen Nicht-Qs als Qs im, durch das System, sich, aber auch andere, zu schädigen. Mehr noch, sie bringen Dich in Situationen, wo Du die Entscheidung hast, schade ich jetzt dem Anderen oder mir. (Beispiel Krieg, erschossen werden, Wehrpflicht etc. pp,

Versicherungen etc. pp). Es gibt auch Situationen, da bist du eingeklemmt zwischen Q und Q. Es ist der Wahnsinn, den Qs in sich tragen. Es ist der Wahnsinn, der Qs System aufrechterhält. Es ist der Wahnsinn, der Andere so lange vor sich hertreibt, bis sie eine Tat setzen, wenn nicht der Q-Wahnsinn anderer sie dazu getrieben hatte. Ein kollektives Willkommen im Wahnsinn. Wo der Sinn, der Wahn ist, der Wahn, der Sinn. Und dieser Sinn zum alles tragenden, beherrschenden, führenden, leitenden, erzeugenden, verwaltenden, bestimmenden Intellekt erhoben wurde

(Intellektuelle und sonstige Größen dieser Intellektform!), interagiert untereinander und schließt alles andere aus, ob bewusst in Status und Rang, etc. pp. Qs oberer Teil der Pyramide oder der unbewusst ist, der untere Teil der Machtpyramide (in diesem Muster etc. pp.) der Drogenhändler, Helfer (allerdings nicht der, der es tut, um überall überleben zu können. Das ist der in den Wahn(sinn) Getriebene = Helferlein.

Und, ohne den Bienen
unangenehm näher treten zu
wollen.
Nur ist in diesem Fall die
Bienenkönigin keine Biene,
sondern das Wesen Q mit all
seinen Ebenen und Rängen. Um
das menschliche Bienenvolk am
Fliegen und Sammeln zu halten,
braucht es unter anderem den
weltweiten, amerikanischen
Traum. Die Hoffnung eines
Jeden, bis die Hoffnung mit
einer Inschrift auf dem
Grabstein, seinen Frieden findet.
Und während der Nicht-
Überlebenskampf in Ruhe und
Müßiggang optimal versorgt und
gesichert in seiner

intellektuellen Herrlichkeit namens Überheblichkeit, die sich im gemeinsamen, geistigen Zwergentum der Herzlichkeit, der Unherzlichkeit, zu wichtigen Planungsterminen trifft, (Wirtschaft alla Pharma, Rüstungsindustrie, Adel, Wissenschaft, Religionsvertreter, Soziales, Medien, Hilfsorganisationen, etc. pp.) und Nasen rümpfend auf ihr vom sie bedienenden Kellner, von ihm mitbezahlten, gebrachten Mineralwasser empfängt und jener mit nobler Nichtbeachtung seinen Platz im Q-System zuweist, fliegen die restlichen in der Hoffnung auch mal ein wenig „Sonne" abzubekommen, emsig aus ihren Bienenstöcken und

raten ihren Bienchenkindern, macht was aus euch, werdet was Gescheites, studiert, macht Karriere und beäugen dabei verachtend die Kinderbienchen in der
Nachbarwabe lebenden Nachbarbiene. Aus denen wird nie etwas werden, die sind ja so schlecht in der Schule. Kein Wunder, bei dieser Mutterbiene, sammelt die doch viel weniger als sie. Jeder ist seines Glückes Schmied. Selber schuld. Meine Kinderbienchen werden mal studieren und mich stolz machen. Denn, dann bin ich endlich auch wer. Und die Nachbarin, wer ist das schon, niemand und wird nie jemand sein. So macht der Überlebenskampf wenigstens

Sinn. Und Nase rümpfend straft sie die Nachbarbiene mit nobler Nichtbeachtung (Überheblichkeit). Aber dieses noble Bienchen hat noch mehr zu erzählen. Hat sie doch neulich das Clofraubienchen in einer Kaufhaustoilette zur Sau machen müssen, weil in ihrer Toilette keine WC-Rolle war. Unfähig eben für alles. Sie berichtet aber auch von einem Besuch bei einer politischen Wahlveranstaltung ganz stolz, weil ihr der vortragende Politiker die Hand gegeben hat, den wählt sie sicher, das ist ein guter Mann und der hat ja nicht Vielen die Hand geschüttelt und sie war eine davon berichtet sie voller Stolz. Aber der

Englandurlaub, der war noch viel besser, berichtet sie weiter, da schenkte ihr die Königin einen Blick, das brachte sie voll in emotionale Verzückung. Und das erinnerte sie an dieses aufregende Rockkonzert mit diesem Rocksänger, ihrem größten Schwarm, damals als sie jünger war, heute noch, der brachte ihre Emotionen so in Verzückung, dass sie in Ohnmacht fiel „und in Folge ihr kreischendes, schreiendes Mundwerk stoppte". Nun, solche lieblichen Bienchen gibt es überall, sie ziehen sich durch alle Schichten und bilden den Verbund der welttragenden Schicht Q. Denkt daran, wenn Euch das nächste Mal ein z.B. Q-

Humanoid anfällt, er kann nicht anders, egal wo er sich befindet, das was und wie geht durch, muss durch. Aber, falls Ihr wirklich auf Dauer mit dieser Q Schicht nicht zurechtkommen solltet, dann habt Ihr ein Problem, Ihr seid das Problem, nicht die Q-Schicht ist es, sondern Ihr, deshalb solltet Ihr Euch in psychiatrische Behandlung begeben und Euch den staatlich psychischen Hygieneeinrichtungen übergeben. Was meint Ihr? Diese gehören eigentlich der psychiatrischen Hygiene zugeführt. Na, na, na. Die haben ja kein Problem damit, wenn sie Euch fertig machen. Kein Problem, also gesund. Ihr habt ja das Problem, also seid

Ihr auch das Problem, das Q-System mag keine Probleme, deshalb bekommt der lauteste, gewichtigste Schreier auch immer Recht, so kehrt die Ruhe schneller wieder ein. Recht vor Gerechtigkeit, im Sinnbild des Rechts des Stärkeren. Also hast du jetzt noch ein Problem oder verzichtest Du darauf. Also nimmst Du unser Hygieneangebot an oder nicht? Ähm, nein. Dann flieg weiter und geh sammeln, summ, summ, Bienchen summ herum. Also mal unter uns gesagt, Ihr könnt die Q-Schicht nicht wegbeamen, aber Ihr könnt mal beginnen, Euer Umfeld zu sortieren und Q-frei zu machen, das macht das Ganze schon lockerer und Ihr werdet sehen, wie schnell Ihr Euch erholt. Dann habt Ihr einen tragenden Ausgleich geschaffen zum großen Kreis im kleinen Kreis. Aber, wie gesagt, nur ein Tipp am Rande von Mensch zu Mensch (von Bienchen zu Bienchen) und das Weitere wird sich finden, wo Eure eigene Erfahrung liegt, wird und dann könnte Euch im weiteren Verlauf die Bindungsschicht zwischen kleinem und großem Kreis egal werden, durch den Satz, lasst dem König das, was des Königs ist, nicht mehr und nicht weniger, nicht weniger, nicht mehr, und puff.

Ihr seid im

Ausschlussverfahren eine sich trennende Zelle von den humanoiden Entitäten, eine sich trennende Zelle, in weiterer Folge zwei voneinander unabhängige, getrennte Zellen, in sich abgeschlossene Zellen. Eine weitere gesunde Zelle, die das Krebsgeschwür abgekapselt hat und im weiteren Verlauf durch energetische Trennung von eigenem Körper gelöst und da liegt es nun das Krebsgeschwür, am Boden und da kann es, weil abgesondert, liegen bleiben und hat künftig keine Möglichkeit mehr, in Eurem Körper zu interagieren. Gemäß dem Ausschussverfahren der Liebe, denn alles ist Liebe, es gibt nichts außerhalb von ihr, nur innerhalb von ihr. So kann das, was nicht Liebe ist, auch Euren Raum nicht mehr betreten.

Der Schöpfer würfelt nicht!

Schaut in den Raum, in dem Ihr Euch befindet, ein wenig umher, was seht Ihr? Einrichtungsgegenstände, Euch, Eure Kleidung, was haben diese Dinge alle gemein? Was verbergen sie? Machen wir es noch einfacher, Ihr befindet Euch in einem Mitgliedsland der EU. Was für ein Zeichen verbergen alle Dinge um Euch herum. Vielleicht sogar in Eurer Haarfarbe, auf Eurer Haut, mit Sicherheit in Eurem Magen, somit in Eurem Blut, Euren Organen, Knochen, Zellen, in

Eurer Blase, in Eurem gesamten Organismus, ja auch in Eurem Gehirn. Ihr steht mit dem Gedanken an dieses Zeichen auf und geht mit dem Gedanken daran schlafen. Ihr seid äußerlich wie innerlich von diesem Zeichen umgeben, im Verborgenen, wie im Unverborgenen. Eure Wege führen Euch Tag und Nacht von einem Zeichen zum anderen Zeichen der gleichen Art. Euer Gehirn, Eure Grundbedürfnisse, Eure niederen Instinkte und Emotionen bilden den Kompass und den Routenplaner durch dieses Gewirr an Zeichen und bilden Euren Lebensweg! Wir erzählen Euch in dieser Geschichte über eine Erfahrung eines Bienenstiches, nur ein wenig anders, denn diese Biene, von der wir hier berichten, hat schon jeden gestochen, nur spüren es Viele nicht und Viele haben sie noch nicht einmal gesehen, weder in dem Raum, in dem sie sich mit dieser Biene befinden, noch, als sie sich auf ihren Arm gesetzt hat und nicht, wie sie zustach! Warum sehen und spüren Menschen diese Biene nicht, obwohl sie sogar zusticht und das doch wohl schmerzen sollte. Warum? Aus dem gleichen Grund, aus dem sie das Zeichen nicht erkennen, das sie immer umgibt, das wir jetzt an dieser Stelle benennen möchten. Es ist das €-Zeichen (Der Euro).

Gut, nun wieder zur Biene zurück. Was muss man da nicht alles können oder haben, um dieses gelb-schwarze, summende, stechwütige Brummen nicht wahrzunehmen. Man darf nichts hören, man darf nichts sehen, der Körper darf nicht unterscheiden können zwischen ah, fein und oh weh und vor allem sollte man, wenn man sie dann doch noch entdecken sollte, um Himmelswillen nicht laut schreien, nach dem Motto, oder in diesem Fall von der gelben Biene? Und was sollte man nicht haben, dass sich das Zeichen, das Euch, verborgen oder unverborgen, all Eure Zeit umgibt, dauerhaft verborgen an Eurem Bewusstsein zu schaffen machen kann, Ihr dürft um der Hölle Willen ja keinen gesunden Gefühlskörper besitzen und falls dieser durch glückliche Fügung doch von einer löchrigen, zerfledderten Seidenstrumpfhose durch Heilung wieder geschlossen und bewusstseinstragend wird, dann macht eines um Himmelswillen nicht, schreit nicht los, im Angesicht der Wahrheit um Euch herum.

Die Wissenschaft sieht das ganze einfach, weil sie ein materialistisches Weltbild ihr Eigen nennt. Die Wissenschaft steht auf Fakten, auch wenn viele dieser Fakten unterdrückt oder zurechtgebogen werden, um

gängige Thesen nicht zu gefährden oder aufrecht zu erhalten.
Propaganda und Lügen von Gestern treffen auf Propaganda und Fake News von heute, Geschichtslügen, Verdrehungen, Auslassungen, Hervorhebungen, Unterdrückungen...) und treffen sich immer am selben Punkt auf der Leinwand.
So muss man lernen, zwischen den Qs hin- und herzuspringen, um sicher aus dem Dunkelwald der Welt herauszufinden, die den Menschen einsperrt zwischen zwei Starkstromsäulen (Boas und Jachin), in dem das Bewusstsein des Menschen unter Dauerzuckungen sein

Weltendasein verbringt, während ein Film, ein unbewusst betrachteter Film, erfahrbar vor seinem geistigen Auge, das in Q-Gefangenschaft steht, abläuft. In diesem Film macht er nur eins, zwischen zwei Scheißhaufen hin und her zu laufen, wobei einer der Scheißhaufen immer rosarot angemalt ist und ein Plus darauf steht. Aber da wir gerade beim materialistischen Weltbild sind, sollen wir das Wort Bewusstsein eher am Rande stehen lassen und es mehr in Richtung Intellekt, Charakter etc. pp. verschieben. Je nach Studienrichtung würde man da sagen können. So betrachtet die Wissenschaft die Geschichte nüchtern, ob richtiger? Bei der Quantentheorie geht es dann ohne das Wort Bewusstsein nicht mehr so recht. In der Medizin bleiben wir mal beim Gehirn und einer gesunden oder kranken Psyche etc. pp. Der Mensch ist nun mal ein Gehirn, Nervensystem, Knochen usw., nach dem Tod verfault es und fertig. Deshalb sollte man sich in dieser Weltrealität auch holen was zu holen ist und, wenn Du kein Gustav Gans mit Glückssträhne bist oder reich an Geld, aber auch materieller Intelligenz bist und etwas werden kannst, dann solltest du dich der anderen Säule zuwenden und auf Wiedergeburt oder das fernliegende Paradies setzen, mit und ohne 72 Jungfrauen (Islam). Aber bleiben wir mal beim materialistischen Weltbild, das weit in die Vergangenheit gehen muss, schauen muss, um sich ein Bild von der Vergangenheit machen zu können. Ausgrabungen, Funde, Symbole etc. pp. Da machen wir es uns einfacher, wir schauen einfach in die Gegenwart, hier finden wir Spiegel und Anwesenheit, um die Vergangenheit verstehen zu können. Was gab es früher nicht alles, grausame Diktatoren, die die Menschen für ihren Kult (Ideologie) schuften ließen. Patriarchen, denen es gut ging, während das Volk hungerte und generell Ausbeutung der Massen. Führer, die sich in einen Rang erhoben, der sie über die Masse stellte und sie fähig machte, die dumme und unberechtigte Masse zu führen. Es gab Herrscher, die es bei Strafandrohung und Strafvollzug, nicht erlaubten, aus der von ihnen vorgegebenen Meinung auszutreten oder gar nicht aus der vorgegebenen Meinung zu handeln. Es gab Herrscher, die sich durch Prunk und Symbolbauten in den Vordergrund stellten und sich von Machtsymbolen umgeben, zeigten. Es gab heidnische Kulte in der z.B. Steine verehrt wurden unreal und nutzlos, nicht so wie heute Geld, ist real und

nützlich. Und vor allem gab es Grausamkeit und viele Herrscher inszenierten Kriege. Unzucht noch und nöcher oder verordnete, strukturierte Reinheitsgebote.
Unzählige verschiedene Weltbilder, Ideologien, die untereinander eine einzige Weltideologie samt imperiale Gebietserweiterungen anstrebten (z.B. Rom). Es gab Symbolkulte, Menschenopfer, Tieropfer, Sodomie, Vielweiberei, Pädophilie etc. pp.
Wir können froh sein, in der jetzigen Gegenwart zu leben, da gibt es das alles nicht. Ja, oder wartet, das kommt mir so bekannt vor, an was erinnert mich das bloß? Das erinnert mich

schon wirklich stark an die Gegenwart.

Ja, der Mensch kann laut Geschichtsbücher auf keine schöne Vergangenheit zurückblicken. Aber auf was kann der Massenmensch Mensch überhaupt zurückblicken, auf halb zerfallene Bauten samt Symbolik und Keramik. Ansonsten, was wissen wir überhaupt über die Vergangenheit, außer, was in den Geschichtsbüchern steht, eigentlich nichts. Die jeweilige Macht schrieb die Geschichte. So wie die heutige Macht die Geschichtsbücher schreibt und das weltweit (man hat sich geeinigt). Die jeweilige Ideologie der Macht formt die Geschichte immer von ihrer jetzigen Gegenwart aus, die Geschichte der Vergangenheit muss begreifbar zur besseren Gegenwart passen und zum bestehenden Weltbild, Ideologie. So kann auch die nüchterne Wissenschaft schlecht damit umgehen, ihre Theorien als vorläufig und revidierbar stehen zu lassen. Ein Paradigmenwechsel stellt eine fast unüberwindbare Hürde dar, bis dorthin wird die augenscheinlich sich so vehement auf Fakten und Überprüfbarkeit vorgebende Wissenschaft alles daransetzen, nicht Passendes zu unterdrücken und zu verbiegen, bis immer mehr mutige

„Wissenschaftler" anhand ihrer Fakten gegen das bestehende Paradigma der Vorgabe der möglichen Denkrichtung auflehnen. Bis dorthin kommen andere Fakten nicht zu Wort, weder systemintern, was sogar den Ausschluss zur Folge haben kann. Noch extern über die Massenmedien. Ausnahmen sind Spätsendungen im TV, so am Rande einer Doku über Unmögliches, aber doch in Geringheit anwesend. Während die Meisten um diese Uhrzeit schon schlafen, um ausgeruht am nächsten Morgen ihrem fast täglichen Hobby nachgehen zu können, nehmen die Anderen es auf als das, was es sein soll, eine Randerscheinung eben. Die herrschenden Ideologien nehmen im TV, Radio, Zeitungen, den Platz ein, in Volumen und wiederholender Tragkraft, das, was die Menschen denken sollen, wie sie denken sollen, wie sie Handeln sollen. Gute Menschen denken, was das System vorgibt und handeln nach dem, was das System vorgibt. Das war immer so und ist noch heute so. Mehr noch, gute Menschen sehen das, was man will, dass sie sehen sollen. Gute Menschen lassen gerne andere, die fähiger sind, als sie es sind, ihnen die Welt erklären und die gegenwärtlichen Abläufe darin.

Gute Menschen lassen Experten, Fachleute, Wissenschaftler aus allen Fach- und

Hierachierichtungen für sie Undurchschaubares schaubar machen und den Inhalt dessen tragen sie schön und gesichert als eigene Meinung nach außen. Gelernt ist eben gelernt (Schule, Studium etc. pp.), wie man zu einem lebenden Fremdwissenlexikon wird, gelehrt durch ausgebildete Fremdwissenlexika (Lehrer, Pädagogen, Uniprofessoren etc. pp.) Papier ist ja bekanntlich sehr geduldig und zu diesem geduldigen Material zählen eben auch die Schul- und Studienbücher (Unterlagen) und die dazu passenden Updates, gibt es in den verschiedensten Massenmedien,

Weiterbildungsseminaren/Kursen, um sich auf den neuesten Stand der Forschung oder Meinung zu bringen. Dabei versteht sich von selbst, dass die intellektuelle Schicht andere Hilfsmittel benutzt (Fachzeitungen usw.) als die gewöhnliche Masse. Das waren jetzt die guten Menschen, die hätte Gott damals bei der Sintflut verschont, im Gegensatz die schlechten, die ihren Energiekörper / Bewusstsein noch ein wenig ihr Eigen nennen können und noch einigermaßen reflektieren, sortieren und selektieren können. Aber schauen wir uns mal an, welche Menschen Gott der Herr, noch so von der Sintflut verschont hätte. In Anlehnung an die Geschichte Sodom und Gomorra / Barabas / und der lieblichen Riechkolbennase des Herrn. Und wie schon erwähnt, wir leben in der Gegenwart, in der die unschöne Vergangenheit in Symbolik und Handlung keinen Platz mehr findet. Deshalb läuft diese Gegenwart unter den Wörtern: Demokratie, Toleranz, Gleichheit, Menschenrechte, Sicherheit, Bildung, soziale Kompetenz. Ach, was für eine schöne Gegenwart. Biegen wir kurz ab in eine Einleitungsgeschichte und dann voll rein in diese, ach so wundervolle Gegenwart. Gehen wir nach Österreich, nach Tirol,

ca. 30 Jahre zurück in der Zeit. Eine Geschichte von Freiheit, Einschränkung und Zwang, dann Überleitung in den Wahnsinn von heute.
Wenn Ihr einen Schöpfer braucht, dann sollten die Menschen wenigstens einen Satz mal verstehen. Der Schöpfer gab nicht nur Füße, um zu gehen, Hände, um zu greifen (Handeln), sondern auch Augen um zu sehen, Ohren um zu hören. Und beides könnte Euch in die Erfahrung bringen, Euren Füßen einen anderen Boden zu schenken und Euren Händen eine neue Handlung.
Zusatz: heute gibt es, durch eine ideologische Brille betrachtet, mehr Nazis (weltweit) als in der

Zeit der damaligen Zeitgeschichte. So gibt es auch heute mehr Pyramiden als zur damaligen Zeitgeschichte. Mehr babylonische, assyrische, arkadische Symbolik als damals. Vieles Alte der vergangenen Zeiten ist noch da und wird in staatlicher, kirchlicher, wirtschaftlicher (Logo) und freimaurerischer, symbolischer, darstellender, baulicher Form in komplett überzogener, um nicht zu sagen, in dramatisch übertriebener Heftigkeit, in der täglichen Weltenrealität sichtbar im Konvolut mit dem anwesenden Vergangenen, ein tragendes, sichtbares Konvolut des Wahnsinns. Umso sichtbarer und häufiger es wird, desto

unsichtbarer wird es scheinbar für Manche. Das erinnert schon sehr an die Geschichte, des zu Tode gekochten Frosches, die besagt:
Ein Frosch springt aus dem Topf, wird er in heißes Wasser gesetzt. Setzt man ihn in kaltes Wasser, das man allmählich erhitzt, passt er sich an – und merkt nichts, bis er kollabiert.

Es gibt wenige Probleme, die man nicht lösen kann. Die Welt fußt auf nicht-gelösten Problemen. Würde es diese Probleme nicht geben, würde es die Welt und ihre zahlreichen Gesichter nicht mehr geben.
Das inszenierte, künstliche Brauchen, wo wären die Eliten

ohne Probleme, vermutlich in der Backstube, um Brötchen zu backen, deshalb werden Probleme festgehalten und inszeniert, sie werden gebraucht. Die Probleme werden am Weg zur Lösung, wenn es nach den Baumeistern der Welt geht, auf ewig festgehalten werden. Die Welt braucht aber noch mehr, sie braucht die Drogen, den entarteten Sex und vor allem Menschen, die nicht zu den Verlierern, sondern zu den Aufsteigern und Platzhaltern der Welt gehören wollen. Der amerikanische Traum der Weltentraum. Was wird zurzeit zu einer ideologischen Tugend erhoben, die Toleranz (kommt von Tolare = ertragen) die dazu dient, die niederfrequente Welt nicht nur zu halten, sondern sie noch weiter zu senken, ein gewünschter, mit allen Mitteln vorangetriebener kollektiver Abstieg der Seelen – die neue Weltordnung. Somit werden sich einige Probleme durch Annahme einer niederen Seelenstruktur auflösen, ohne das Problem zu lösen, ohne die Lösung des Problems zu finden, das am Weg hin zur menschlichen Vollendung liegt. Und da liegt auch so ein raffinierter Baustein der Welt. Die angeblich gute Seite des Systems, die gar keine ist. Das System drückt die Masse mit den bekanntlichen Mitteln in eine niedere Seelenstruktur und zeigt eine angeblich höhere

Seelenstruktur auf, um unter anderem Schuldgefühle zu erzeugen. Lässt aber auf der anderen Seite keinen Raum mehr. So werden nicht nur Schuldgefühle erzeugt, sondern auch das Muss an niederfrequenten Handlungen und die Aufgabe, um einen illusorischen Frieden zu finden. Viele perverse Strukturen und nicht nur den Mangel an Alternativen, erzeugen den Selbstläufer Welt. Eine Mutter möchte nicht arbeiten gehen und ihre Kinder in eine Ganztagseinrichtung anmelden müssen. Aber sie muss, das Geld fehlt, in manchen Ländern auch die Pensionszeit. Die Kinder sind unglücklich und möchten das auch nicht. Nun, das Ideal von Mutter und Karrierefrau hat schon Einzug gehalten in die Gesellschaft und nur mehr diesem Ideal fließt Energie zu. Es ist niederfrequent, weil es Extrem ist. Aber nicht nur, denn beim nächsten Elternsprechtag könnte die Lehrerin sagen, dass das Kind mehr Unterstützung beim Lernen braucht, auch das könnte Schuldgefühle auslösen, wenn man frequent noch nicht zum Karriere-/Mutter-Ideal gehört, natürlich, man könnte auch einen Zorn auf das System bekommen. Nicht nur in diesem Punkt, in vielen Punkten. Schauen wir uns mal die Lehrerin an. Eine Lehrerin/Lehrer richtet die Kinder für die Welt, die

Wirtschaft ab. Ein Leben für die Arbeit, um Essen, Kleidung und Behausung zu haben. Sie selbst, ihr geht es besser, ihr technisches Gehirn hatte genug Potential, um Lehrerin zu werden. Sie arbeitet zwar für das System, unterliegt aber nicht dieser Härte des Systems, wie andere. Sie hilft aber dafür dem System, Kinder in die Widerstandslosigkeit zum System, ins System zu bringen. Sie verdient mehr, arbeitet weniger und hat dafür länger Urlaub. Kann ohne Gefährdung des Arbeitsplatzes in Krankenstand gehen und in der Pension wird es ihr auch besser gehen. Und vor allem, sie ist wer und sie gehört zu der Truppe,

die gescheiter sind, weil Systeminfo gefüllt und zu jenen, die immer Recht haben, Paragraph 1, das System hat immer recht. Paragraph 2, und hat das System unrecht, tritt automatisch Paragraph 1 in Kraft.
Für sie ist die Welt in Ordnung und es gibt ja immer Welche, denen ihr technisches Gehirn mit und ohne Unterstützung vom Elternhaus, einen besseren Weg eröffnen. Und für die anderen gilt, auswendig lernen, lernen, wiederholen. Falls doch auf der Baustelle gelandet, war wohl der Einsatz zu gering und da ist jeder selber die Schuld. Oder wartet, geben wir sie den Eltern, die waren ja auch schon zu faul,

in der wunderbaren Welt der unbegrenzten Möglichkeiten. Aber machen wir alle niederen Biensteten, Hilfsarbeiter und Arbeiter rauf in die höheren Ränge, denn nur da gibt es höheren Verdienst und Achtung im Olymp, der technischen Intelligenz. Der Schule nehmen wir die

Sekretärin, den Schulwart, die Reinigungskräfte. Eigentlich müssten wir der Schule auch noch den Strom und die Heizung abdrehen. Was ist mit dem Schulhaus, das steht auch nicht da, das wurde von den Arbeitern gebaut. Man kann es sich aber als Zeichnung vom Architekten anschauen. Was, Lehrerin, du möchtest mit dem Auto nach

Hause fahren, da hast du den Zettel mit dem Plan eines Autos und den Diesel zum Auto, würde es natürlich auch nicht geben, es gibt keine Arbeiter, um das Öl zu fördern, ja, Lehrerin, du hast Hunger. Mal dir ein Bild, vielleicht sättigt es dich. Was würde das für einen lebendigen Körper bedeuten. Das Gehirn lassen wir gerade mal so am Leben, die restlichen Organe führen wir einem Multiorganversagen zu. Das war er, der kollektive Aufstieg in den Systemolymp. Die Erde und darauf die Systemeliten mit einem Stapel Büchern kurz vor dem behausungslosen Hungertod. Mit dem letzten Atemzug streicheln sie sich die noch immer überheblichen Gehirnköpfe. Wir sind die Besten und ein anderer sagt, wir brauchen dringend neue, (weil wir es ihnen sagen) minderwertige Sklaven. Also sprach die Elite von der Elite, wir brauchen eine neuerliche Hierarchie. Weitersagen, denn den Letzten beißen die Hunde. So könnten wir uns jetzt den Gleichwert anschauen. Der Gleichwert ist ein bewusst verstandener Komplex eines vollendeten Menschen. Komplex deshalb, weil eine reife Seele einem Grundmuster an Wissen, Befähigungen und Ermächtigungen trägt. Sein Fundament ist ebenfalls eine Frequenz, nämlich die

ursprünglich angedachte, deshalb kann man sagen, ganz normale menschliche Frequenz, die zurzeit fragmentiert – gesenkt (Senkrechter Strich) +, verdreht X ist. Betrachtet man sich die Kohlenstoffverbindung für Leben, kann man sich sehr gut diesen Frequenzkomplex vorstellen (zwei Quadrate nebeneinander). Die beiden Hauptteile sind Lebensenergie, Liebe und das Ganze, was dranhängt. Das System spricht von Gleichheit, eine Gleichheit in diesem Sinne gibt es aber nicht, weil nichts gleich ist. Stellt man eine künstliche
Gleichheit her, kommt
Kommunismus unterm Strich
raus, wobei auch hier die Eliten

nicht auf ihre Extrawurst
verzichten. Geht es dem Staat
gut, geht es dem Menschen gut.
Ist, wie den Schöpfer zu lieben,
zum Preis, sich selbst nicht zu
lieben. (Konfuzius).
Ein vollendeter Mensch braucht
keine Hierarchien, die
Eigenfrequenz ist Träger des
Wohlwollens für sich und andere.
Das nennt man dann ein gesundes
Ego mit einem gesunden
Kollektivkomplex. Die humanoide
Lebensform hat ein krankes Ego
mit einem verinnerlichten,
kranken System.

Es wird mit Euren Emotionen
gearbeitet und mit Eurem
Machtfeld gebunden. Es wird
verschränkt. Und diese

Verschränkung mit Eurem
Gehirn. Zumeist wird der
umgekehrte Weg begangen oder
ein gemeinsamer, der in die
Einsamkeit (Mangelmeldung) des
Vergessens führt. So kommt das
Q-System von außen, Schule,
Beruf etc. pp und nimmt
Platz in Eurem Inneren. Bis das V
in Anlehnung an Q voll ist und
Eure Seele entleert. Siehe
Baphomet, eine Hand nach oben,
die andere nach unten, zeigt
nicht ein Hoch, ein Tief, sondern
eine schiefe Rutschbahn nach
unten. Die
Ausleerung der Seele, Entleerung
des Gefäßes (siehe Apfelsaft)
dreht man den Baphomet um und
lässt ihn in das Freimaurerbild
schauen, ergibt

das im Spiegel dieselbe Entleerung. Der Spiegel zeigt also den Istzustand nach der Entleerung und zugleich den Weg der Entleerung, das ist die mögliche Lichtbrechung eines nicht vorvollendeten Herzens, geht es in die Lichtbeugung und zu einem verschobenen Magnetismus in Euch, die schiefe Gerade stellt aber die Linie auf der anderen Seite dar und bildet mit der anderen, wenn Ihr in das Freimaurerbild schaut, den X-Faktor. Auch bei den Wahlen macht Ihr ein Kreuz in ein Viereck. Weil alle politischen Parteien immer nur aus demselben Bild „schöpfen" und/oder stammen. Eine Alternative gibt es in und auf dieser Leinwand nicht. Weil, alles im Bilde dieser Welt ist und entsteht (Malerkübel). Zeitgleich erkennt Euer Bewusstsein das Bild (Gefängnis) und die Weite (Freiheit) darüber hinaus. Klick, bemerkt Euer Bewusstsein den verschobenen Magnetismus, der über dem rechten Auge zieht. Euer Bewusstsein kam über die Heilung der Lichtbeugung in, zu dieser Erfahrung und klick, er springt dahin, wo er hingehört. In die Mitte der Stirn, in einer Geraden gemessen, bis zur Mitte, ab ein fingerbreit oberhalb Eurer rechten Augenbraue. Und klick, Euer Bewusstsein ist nicht mehr gebunden im Bild, sodass es das einzige ist, das es sieht. Ihr seht das Bild vor Euch, in dem Ihr vorher gebunden wart und Eure gesamte äußere Welt bildete. Euer Raum, auf den Ihr mutig und im Verlauf angstfreie, weil, nicht mehr angreifbar, bestanden habt. Ich wünsche mir von ganzem Herzen zu sein, ich möchte sein können, endlich sein dürfen, der ICH BIN. Raumwechsel mitsamt Eurem Körper, hat Euch verschmelzen lassen mit der Weite von Allem, was ist. ICH BIN im Sein dürfen/können des ICH BIN. Ihr erinnert Euch an Eure Wahrnehmung, die Euch fragen ließ, wo sind denn die Alle, sie sind so weg und keiner sieht mich oder sieht etwas, das ich nicht bin. Jetzt wisst Ihr, wo sie waren und sind, die meisten fast mit 100 %, Manche weniger mit ihrem gesamten Bewusstsein in diesem Bild. Das übersteigt jegliche Scheuklappen. Und alles andere haben sie durch die reduzierte Beschneidung vergessen. Ihr aber hattet Euch verloren, weil Euer Licht gebeugt wurde. Euer Herz getragener Seelenwunsch war es, Euch zu heilen. Ihr erkennt, dass Euer Geist beschnitten und Euer Gefühl gebeugt war, um ins Bild zu passen, im Bild zu sein, im Bild gehalten zu werden. Ihr erkennt aber auch, dass die Lichtbeugung dem Rechteck die Energie für den Rahmen gibt, um das Bewusstsein der Menschen in diesem Rahmen im Bild zu halten. Euer Bewusstsein hat sich aus diesem Bild befreit, aber mehr noch, Ihr habt damit dem Rahmen Energie entzogen, nämlich Eure eigene und das ist Euer Recht. So, wie Ihr die Münze betrachtet habt, der Mittelring hält sie zusammen, der Ausstieg über den Mittelteil löscht die Münzbilder, ohne Mittelteilring keine Münze, sie bricht entzwei und löst sich auf. Und das ist das einzige Werkzeug, das Ihr habt und braucht, Euch selbst. Jeder Einzelne, der diesen Weg geht, hilft sich und seinen Schwestern und Brüdern im Gefängnis der Seele im Seelengefängnis. Eure Selbstliebe kommt ihrer Seele zu Hilfe. Liebt Eure Feinde wie Euch selbst. Wenn Ihr Euch selbst liebt, liebt Ihr Eure Feinde nicht (Stockholmsyndrom, Gutmenschentum, Selbsthass), Ihr hasst aber Eure Feinde auch nicht, weil Liebe nicht hassen kann. Liebe ist eine in Verselbständigung befindliche Ausschlusssache (Energie), was nicht in ihr ist, ist nicht in ihr, deshalb braucht die Liebe auch keine Gesetze, weil es nichts gibt, was Gesetze erfordert. Es gibt auch keine Schnittstelle mehr, auf die man achten müsste (Gebote), weil es keine Schnittstellen mehr gibt. Doch man kann dem Feinde zürnen.

Doch Zorn ist kein Hass und ohne Schnittstelle kann Zorn auch nicht zum Hass werden, Zorn kann die Seele nicht verletzen, der Hass schon. In weiterer Folge verliert sich auch weitgehend der Zorn. Der Hass verletzt ganzheitlich. Gefäß wie Inhalt im Angesicht seiner Bewusstheit verletzen, töten zu wollen, dabei kommt es nicht darauf an, wie, sondern dass man möchte. Das Wie ergibt sich.
Der Hass gehört zum Bild, sowie, auch die Rache. Was im erweiterten Bild die Heilung, Heilwerdung ist und außerhalb des Bildes, das Heilsein, ist im Bilde die Rache und die Vollendung der Rache, Qual und Tod oder der zugeschaute oder

in Kunde gebrachte Zustand davon. Hauptsache, dem anderen geht es schlecht, schlechter als schlecht ist noch besser. Das sind die Wege des Hasses, nicht zu verwechseln mit dem letzten Gericht. Liebe hasst nicht, Liebe lässt dem König das, was des Königs ist, dem König. Und das ist im Endeffekt die größte Strafe, die es geben kann und leitet ein in das letzte Gericht. So hat alles sein Ende und Anfang zugleich (Spirale) Atem etc. pp. Alles hat sein Ende, nur die Wurst hat zwei, im Sinnbild des Bildes. Am Ende ist alles gut und ist es noch nicht gut, ist es noch nicht das Ende. Denn das gute Ende ist zugleich auch der Anfang (Spirale) Ein Schritt nach dem anderen etc. pp. Das letzte Gericht, in dem keiner richtet, sondern jeder sich selbst, in Anlehnung seines Energiekörpers, während die Traumata Gebeugten, das gebeugte Licht, die Bühne des Bildes verlassen in Reihung von Zeitraum zu Zeitraum mehr. Ob bewusstes oder unbewusstes Königtum, gehen dem bewussten König die Opfer aus, greift er ins unbewusste Königtum. Eine der niedersten Oktaven, bevor die Stimme versagt. Der wirkliche Tod wird sich im Endeffekt selbst töten, weil er nichts anderes kann, nichts anderes ist, Q hat keine Grenzen in sich, Q hasst das lebendige Leben, Q kämpft gegen das Leben. Q will

aber nicht begreifen, dass es
außerhalb des Lebens nichts
gibt, so auch nicht das Bild ES.
Wenn jegliche Grundlage von ES
dem Wesen fehlt, gibt es das
Wesen von ES nicht mehr. Totale
Auslöschung in sich selbst, durch
sich selbst und dennoch weiß Q,
dass er das Leben nicht gänzlich
auslöschen darf und kann, weil
sie sich sonst selbst auslöschen
würden.
Das Nichts im Nichts des Nichts.
Aber auch diese Wahrheit ist
bekannt. Aber, um es nicht zu
dieser Wahrheit im Seelenverlust
und Weitergabe- Möglichkeit
(Sperma) kommen zu lassen,
braucht es die Beugung von Licht,
nicht nur als Opfer, sondern auch
als Grenze. So

begreift der Satanismus die Venus als Sonne, weil diese das Sonnenlicht zu 70% reflektiert = die Sonne der Nacht. Und das hält sie ab, nicht das zu tun, was sie tun möchten. Alles auszulöschen, denn das wäre das ihre. Deshalb Licht(Opfer)beugung, um den Magnetismus, der das Bild im Rahmen hält, zu gewinnen, etc. pp. ist auch in gewissen Bezug ein Tod, aber nicht der zur Gänze vollzogene und außerdem kommen diese hartnäckig vorvollendeten Herzen sowieso immer wieder, hört Ihr es schreien das Baby? Bis sie vollendet sind und nicht mehr wieder kommen. Auch das dünnt die schwefelige Suppe aus, denn sie hängen nicht mehr im ewigen, aber endlichen Kreis von Gehen und Kommen fest. Die Seele gefangen im astralen Raum der Welt. Die „astrale" Weltverschränkung die niedere Astralebene. Seelengefängnis für die einen, Seelenbindung für die anderen, der Funke von ES dem Wesen machts, ob überhaupt in die Verkörperung gegangen werden kann. Sitz des freimaurerischen G. Deshalb hängt das Pyramideon am Dollarschein auch in der Luft, weil hochgehalten von einer unsichtbaren Gestalt. Der Priester in seiner letzten Verkörperungsmöglichkeit, die niederste verkörperte Oktave hat Verbindung zu G, die er dann selbst sein wird. Während der

nächste Priester nachrückt, um
G zu halten, das Tor geöffnet zu
halten, ganz sinngemäß, das Tor
zur Hölle.
Der Priester, weil sein
„Bewusstsein“ zu 100 % mit der
niedersten möglichen, deshalb
körperlosen Form verbunden ist,
der Satan im Fleische, ihm
unterstellt, die Cherube
(„Engel“) = die wahre
Schattenregierung gestaffelt
nach unten, weiterlaufend in
Einweihung und Q-Qualität.
Dreieck, das umgekehrte
Dreieck, siehe auch Baphomet,
die Entleerung. Aber in gerader
Linie, so gibt es den
verkörperten Satan auch in
unbewusster Form unten, sowie
auch die Cherube, die Helfer und

Helferlein. Der bewusste Satan ist sich dessen bewusst und sein Geist ist es, der diese Körper bewegen kann, wobei sich diese Gefäße nur manchmal darüber bewusst sind. Satan selbst und die Cherube sind sich auch unten in der sichtbaren Hierarchie darüber bewusst.
Nur der Wechsel zeigt die Unbewusstheit an. So sind jene nicht wirklich besessen, sie wechseln nur von bewusst in unbewusst und umgekehrt. Also 33 Grade, wobei eine drei oben und eine unten liegt, das Prinzip des gebrochenen Lichtes = Das Wesen ES. Baphomet, die 3 nach oben, die drei nach unten, Zeigefinger, Ringfinger für entleertes Gefäß durch

Lichtbrechung in seiner Vollendung, der dritte Finger, Daumen, steht für G körperlose Astralwelt.

Drei oben, drei unten, ergibt durch die Teilung der Punkte 3 + 3 = 6. Der Umbau der Bühne bewegt sich in der Kreiswiederholung nach links oder nach rechts, wobei ein Satan immer oben zum Liegen kommt. Also die neue Weltordnung ersetzt die alte, aus dem gleichen Stoff gebaute, Weltordnung.

Könige stellen sich allesamt als Mittler zwischen Gott und Volk dar und das gab ihnen, gibt ihnen die Berechtigung auf den Königsreigen. Heute wird ja oftmals Religion und Staat etc. pp. getrennt, die Könige sind deshalb nicht weniger geworden, nur erscheinen sie offiziell in einem anderen Gewand (Gesicht). Das Prinzip ist dasselbe, die dahinter liegende Energie ebenfalls. Es sind die Manager der Zeit, der ewig gestrigen Zeit, die Wiederholung des heute noch gleich bestehenden ewig Gestrigen. Die ewige Gegenwart der Vergangenheit, in immer neuen, doch dennoch gleichen Gewändern. Von einer Weltordnung in die nächste Weltordnung (neue Weltordnung), erschaffen aus dem immer gleichen Stoff (Q). Die Manager der Zeit (Könige und Vizes) mit ihren so „wertvollen" Ideen (Ideologien), bezogen jeweils aus der niederst möglichen, künstlichen, nichtmateriellen Oktave ihres künstlichen Geistes, um es versteckt durch die Lüge der ewig gestrigen Macht, erschaffend durch das blinde Volk, immer wieder aufs Neue in der Gegenwart zu erschaffen, zu erhalten, neu zu erschaffen und zu erhalten. Deshalb liegen alle Symbole und Zeichen den

heutigen Herrscher zu Füßen.
Die ewig eine Vergangenheit,
noch immerwährend in der noch
anhaltenden ewigen Gegenwart
von Q.
Und wie schaut es jetzt aus mit
diesen Vereinigten Staaten von
Amerika mal zwei. So gibt es das
Amerika mit seinen
Bundesstaaten = Amerika und die
Vereinigten Staaten von
Amerika.
Der District of Columbia
(Gründung 1790) oder
Washington D.C. ist
Bundesdistrikt. Der Distrikt ist
kein Bundesstaat und gehört
auch zu keinem und ist dem
Kongress der vereinigten
Staaten direkt unterstellt.
Washington D.C. ist darüber

hinaus Sitz der Weltbank, des Internationalen Währungsfonds und der Organisation amerikanischer Staaten, Sonderorganisation der Vereinten Nationen, UN (Staaten).
In der Hauptstadt sitzt der König.

Deep State - der tiefe Staat

Nicht die Welt wird von Eliten versklavt, sondern die Welt wird von ihnen konstruiert, um die Menschheit zu versklaven.
Deshalb ist es noch wichtiger nicht das Wer, sondern das Was und das Warum. Eliten, Helfer und Helferlein in der physischen Form und in der äußeren,

ideologischen, baulichen, symbolischen Form. Die Eliten, die die Weltform erschaffen, sind immer die reduziertesten Entitäten, ob oben in der sichtbaren Hierarchieform, in der nicht sichtbaren Hierarchieform oder unten im sogenannten gewöhnlichen Volk, in dem reduzierte Entitäten für Terror und Disharmonie sorgen, unbewusst wie bewusst. So ist der sogenannte tiefe Staat überall und sichtbar und Jene, die sich nicht senken lassen, dadurch nicht so lenken lassen wie beabsichtigt, um Pläne in die reale Form zu bringen. Die Menschenschichten, die für diese Pläne dienlich sind, also eine Spielfigur am Schachbrett darstellen, die gezogen werden soll und Jene, die diesen Zug unterstützen, werden vom System her unterstützt. Die Spielfigur, die im nächsten Zug fallen soll, wird nicht mehr unterstützt und auch jene, die dieses Fallen nicht unterstützen werden nicht mehr unterstützt. Jene, die sogar dagegenhalten werden bekämpft. Falls ihr zu jener Spielfigur gehört, die fallen soll, wird früher oder später eine gewisse Gegenwehr nicht ausbleiben. Die harmlose, weiße Maus wird so lange in die Ecke gedrängt, bis sie beißt und auch das ist oft gewollt, dann gehört es zu einem Spielzug. Ist es nicht gewollt, gehört es

trotzdem zur Voraussicht der Spieler. Wieso der Spieler? Schwarz oder weiß, es gibt keine zwei Seiten. Weiß und schwarz ist im Rahmen des Spieles, das Selbe und die Spieler stehen in derselben reduzierten Energiekörperform als Spielfigurzieher am Schachbrett (Sinnbild
Bodenschach). Auf diesem Schachbrett geht es nicht darum, ob weiß oder schwarz gewinnt. Es ist immer die Bank, die gewinnt. Auf diesem Schachbrett geht es nur ums Spiel. In die stabile Form gebracht steht für eine WC-Pause (wobei das WC am Schachbrett steht) dazwischen steht Spielbeginn, Spiel,

Spielende. Ende, Pause, Beginn, bewegen sich im Rahmen des Schachbrettes.

666, das Zeichen des Tieres. 666 ist die „Biologie“ des „Tieres“. Die Biologie von QES = gebrochenes Licht, = tellurisches System. Schauen wir nochmals nach Ägypten, die große Pyramide ist die Einweihungspyramide, der Sarkophag. Stellt Euch vor, da liegt jemand darin und jetzt steckt mal den Obelisken durch. Jetzt stellen wir ihn mal in die Mitte der Pyramide, dann geht der Obelisk in der Mitte durch und geht beim Scheitel wieder raus und bling, bling, bling. Interessant ist auch Anubis, der das Herz wiegt. Gehen wir zur Sphinx, dem Mischwesen. Tier-Mensch (Löwe) ein Machtsymbol, wie Viele auf Fahnen, Wappen, Tempel, Plastikfiguren etc. pp. Stier, Apis, Widder, Bacchus und Co (Kg) stehen für Zeugung in Anlehnung an QES, Eule, das Raubtier, das besonders gut in der Nacht sieht, Symbol für Weisheit, QES-Weisheit, Adler, Greife, Drachen (China), Schakale, Krokos (Maya, Inkas...) Schlangen, Fisch (kalt wie ein Fisch), alles Raubtiere, sieht man mal vom Fabelwesen des Einhorns ab, was braucht das Pferd jetzt einen Obelisken auf der Stirn. Die Welt ist

durchzogen von einer geballten Ladung an Symbolen (immerwährend) und Zeichen (sich ändernd), Raubtiere stehen für Macht. (Der Löwe, der König der Tiere aus Ermangelung an Fressfeinden, obwohl so ein Krokodil, eine Schlange. (Irgendwie ist mir leicht bis mittelschwer übel und hoffe, dieses Kapitel bald beendet zu haben, nicht dass ich wieder Urlaub brauche, deshalb ist jetzt wieder eine Pause angesagt).
Was ist noch ein Zeichen der Macht? Das Opferlamm, Opferschlachtung, Opferspeisung. Ich meine, Euch ist schon klar, was Ihr da tut. Alles ist Energie, es gibt nichts

jenseits von Energie. Euch ist schon klar, dass Ihr den Tod esst und nicht das Leben. Um den Tod schadlos essen zu können, müsst Ihr schon eine geballte Ladung Leben sein, um das schadlos tun zu können. Oder eben auch schon so weit im Q-Frequenzkörper stehen, dann ist es auch schadlos, weil, das Kind ist schon in den Brunnen gefallen. Und, dann das Kind, Lebensenergie in anderer Form, die Qual des Opfers, das ist ein ganz besonderer Duft, der G das Wasser im Munde zusammenlaufen lässt. Die Qual des Opfers energetisiert, gebunden im Fleisch. Das Quälen des Opfers, ach, was für schöne Stimulation der Q-

Erregungspunkte. Der Hass ist mein, sprach nicht das Schwein, sondern QES, der wahre Bauer, der Erbauer der Welt und deren Humanoiden in seinem Bilde. Aber, opfert nur weiter das gequälte Opferfleisch Eurem Gott, Göttern und Götzen (Jehova, Allah, Wirtschaft etc. pp), und schlagt und tötet weiterhin mit Eurem QES-Schwert menschliche Seelen und heizt Eure Erregungspunkte auf und feuert los mit allen Mitteln, die es gibt, gebt es Euch und war die Orgie schön? Nein, nicht? Ah, Ihr liebt mehr die Selbstqual? Dann geißelt Euch doch ein wenig oder fährt nach Indien und übt Euch in Selbstqual. Oder lasst Euch am

lebendigen Leib mumifizieren,
das bringt Euch garantiert ins
Paradies, natürlich ins
Buddhistische. Oder bleibt in
Meditation (Nirvana) versunken
bis zum letzten Tag der
Weltzeit. Ah, doch nicht so.
Ah, Ihr mögt beides Sado-Maso,
dann gehen wir wieder weiter.
Legt ein Keuschheitsgelübde ab
und wenn es gar nicht mehr geht,
missbraucht Ihr halt ein Kind,
ein liebliches, natürliches, dass
die Dosis länger anhält und dann,
wieder ab in die Keuschheit.
Oder zwingt eine Frau zum
Kopftuch, aber bitte, so eine, die
ihre Unreinheit in sich selbst
nicht erkennen kann. Damit ihr
die Unreinheit in ihr bezwingen
könnt, die ihr selbst seid. Aber,

für was, machen wir eine Abkürzung ins Allahische Paradies, Allahu Akbar, der Sprengstoffgürtel sei gezündet. Was machen da die Juden, die üben sich in der Kabbala, ohne Herzkreis und machen beim Chakrabild 7-armiger Leuchter, einen T-Schnitt. Aber vergesst nicht, bevor oder nachdem Ihr Euch einen Brilliantring gekauft habt, den Spendenzettel auszufüllen. Und vergesst nicht, beim Erhöhen Euer kargen Politgagen, die Mindestpension um 0,2 % zu erhöhen, die Leute sollen ja wissen, wieso sie Euch hegen, pflegen und versorgen. Und bitte, überhaupt im materialistischen Weltbild bleiben, nicht, dass jemand noch was sieht, was wirklich da ist. Staat über Religion ist das westlich gut erzogene Motto von QES, QES-Religion über Staat (und Co Kg) ist die östliche, unerzogene Version von QES. Also Religionsfreiheit für alle QES-Religionen vom materialistischen Weltbild angefangen samt Genderreligion (Ideologie) über, den Rest von Indien, Ägypten nach irgendwo, Hauptsache im Bilde bleibend mit und ohne offiziellen Bund samt Beschneidung. Das Bewusstsein des Menschen ist beschnitten und steckt im Bilde. Kann es denn sein, dass Ihr auch ohne Geräte schon im vereinigten Gerätechakra steckt. In einer künstlichen Realität. Wobei so manche nicht mal richtig böse sind (Helferlein), sondern einfach ein humanoider Bioroboter und das seid Ihr noch ganz freiwillig, weil freiwillig geworden, den Unis und Hochschulen sei Dank, Füllung raus, Fremdfüllung rein und laufend dank Systemupdates auf den neuesten Stand gebracht. Aber das Schlimmste zurzeit sind diese Nazis. Nicht die wirklichen Nazis, die alles außer ihrer Rasse als schlecht ansehen. So gesehen gibt es ja auch, siehe Schriften, Bücher, Juden Nazis und Moslem Nazis etc. pp. Nein, die wildesten aller Nazis. Die Antifa? Nein, nicht diese Nazis, wir hassen alles, was unsere

Rasse (Kultur) ist, Nazis. Die Obernazis. Die Obernazis, die einen harmlosen Menschen als harmlosen Menschen begreifen, in welchem Körper dieser auch steckt, welcher Nation er auch immer angehört, welchem sozialen Stand er auch entspringt. Die aber auch die gefährlichen Menschen (Q) als gefährliche Menschen begreifen. Das sind die gefährlichsten Nazis, denn sie sind keine. Jeder, der die Wahrheit sieht und sagt, ist ein Nazi. Nur nicht das System kritisieren, wo kommen wir denn da hin. Kommt da schon langsam der gesunde Menschenverstand (zurück). Ja, gesunder Menschenverstand geht nicht ohne Herz (menschliche Ebene). Eben deswegen ab ins Umerziehungslager.

50 Jahre später. Aber jetzt kommt es auch noch im außen, das vereinigte Gerätechakra, die künstliche Realität in der künstlichen Realität. Samt Chip, Internet, Brille und Co. Wo sind wir denn jetzt beim Handy, 5G steht vor der Tür. Uff, die Strahlung, keine Angst, die Strahlung tut den verstrahlten Qs nichts und wenn schon, schnell raus mit Eurem Bewusstsein aus dem Bild. Und weil wir gerade bei 5G sind. Und so sprach der Herr, gut dass keiner weiß, dass ich Rumpelstielzchen heiß. 3 Jahre

später und wisst Ihr jetzt schon, dass Rumpelstielzchen Rumpelstielzchen heißt? Nein, 3000 Jahre später.
Jetzt kommen wir zum Grießbrei und mit diesem Grießbrei können wir auf die Löschtaste drücken und alle anderen politischen und sonstige, staatliche Formen löschen. In Verbindung zum Königtum steht der Faschismus und Faschismus ist alles, was ist in der Welt in den verschiedensten Darstellungen und Formen. Ihr könnt auch den Faschismus mit Psychopatismus gleichsetzen, mit Q, mit Satan (Rumpelstielzchen). Würde ich aber die Schieflage, die diese Welt bildet, mit Euch durchgängig betrachten wollen,

würde ich 33.000 Jahre und 3 Jahre durchschreiben. Und 33.000 und 3 Jahre später, das machen wir jetzt nicht, ich erhöhe nicht mal um 3000, nicht um 300, nicht um 30, nicht um 3, nicht um 3 Monat, nicht um 3 Tage, nicht um 3 Stunden, nicht um 3 Minuten, nicht um 3 Sekunden, ich gehe jetzt auf 0 und wünsche Euch, baldigst am Treffpunkt 0 angekommen zu sein. Aber irgendwann in der Zukunft seid Ihr es schon, Ihr wisst es nur noch nicht.

Turbulente Zeiten

Turbulente Zeiten die gab es immer wieder in der Menschheitsgeschichte, ob sie in

ihren Tatsachen auch
wahrheitsgemäß wiedergegeben
wurden, steht auf einem anderen
Blatt, das zu lesen nur wirklich
möglich wäre, wären wir
Zeitzeugen.
Was wissen wir eigentlich, nur
das, was wir wirklich selbst
erleben und das nur, wenn wir
neutralen Geistes sind. Einen
neutralen Geist berührt nur die
Mitte in seinem Wesen. Also
berührt sein wahres Wesen die
jetzige Fassung Welt ziemlich
wenig.
Es ist deutlich spürbar, was sein
Avatar-Gehirn erreicht oder
aber sein gesamtes Wesen in
seiner Urform. Individuen die
Urform des Menschen näher zu
bringen, die Urform, die in ihnen

nicht oder nicht mehr
wahrnehmbar ist, ist recht
schwierig, in manchen Fällen
leider sogar unmöglich. Jeder
Einzelne, der sein Leben nicht
nur oberflächlich durchfliegt
und auch mal innehält, um
ernsthaft innere Monologe mit
sich selbst zu führen und auch
die Weltenstrukturen in
Gegenwart und Vergangenheit zu
hinterfragen, ist eine
Bereicherung für sich selbst
aber auch auf längere Sicht
gesehen, für die gesamte
Menschheit. Neue, doch im
Wesen uralte, ursprüngliche
Gedanken können geboren,
wiedergeboren werden. Alles,
was erscheint, egal wie viele
davon berührt werden,

hinterlässt einen Abdruck. Alles, was einen Abdruck hinterlässt, ist noch nicht zur Gänze erloschen. Ein Funke von Etwas hält die Möglichkeit des Werdens am Leben. Deshalb ist jeder Einzelne, wie klein auch die Zahl ist, ein Freudenfest wert. Müssen wir denn verzweifelt sein, in der Meinung, es wird nie allgemein berührend in eine neue, ursprünglich angedachte Richtung gehen? NEIN, denn dazu möchte ich Euch den Satz näherbringen: Es hat sich erschöpft. Nun, jedoch hat es sich noch nicht erschöpft, aber es wird sich erschöpfen und dann tritt Ruhe ein. Und diese Ruhe bietet Raum für Neues, anderes Neues, bis zum nächsten

Aufbäumen des noch nicht Erschöpften. Doch die Zeit der Ruhe bietet den Raum und den Nährboden des Neuen und die Spitzen des noch nicht Erschöpften, werden an Umfang und Höhe geringer. Die Abgewandtheit von der Urquelle wird geringer werden. Dabei wird es nicht bigott oder fromm werden, sondern ursprünglich. Bigott und fromm, auch das sind Vorstellungen des Alten. Das Neue und dennoch Älteste, weil ursprünglich, war noch nie da, zumindest nicht in der wissenschaftlich übermittelten Form. Aber solange nicht „Out-of-place-Artefakte", die in die geltenden wissenschaftlichen Fassungen mit einfließen und die geltenden Fassungen der Geschichte erschüttern dürfen. Die Wissenschaft geht lieber den Weg „was nicht passt wird passend gemacht, ausgegrenzt, unterdrückt und kleingehalten". Nach dem Motto lieber eine allgemein gültige Lüge, die schmeckt, als Wahrheiten, die man so nicht haben möchte. So bleibt auch das Leben ein Zufall vom Urknall bis zur Marserkundung. Und so wie sich ein Mord erschöpft und der Mörder nicht 20 Jahre auf sein Mordopfer einsticht, so erschöpft sich auch das Spektrum der von der Urquelle abgewandten Möglichkeiten. So leben wir in einer Zeit, wo jeder für sich, aber auch die Masse, die sich noch auspowert, in den Möglichkeiten der Dunkelheit. Aber, wenn das Licht der Wahrheit kommt, muss die Lüge gehen und leider ist eben die dunkelste Stunde, die vor dem Sonnenaufgang. So könnte man meinen, dass doch andere Zeiten schlimmer waren als jene jetzt. Zum Beispiel die Zeiten des 1. Und 2. Weltkrieges, aber auch andere. Objektiv betrachtet, gibt es wohl die sogenannten guten, alten Zeiten nicht wirklich. Es gab bessere als heute, aber auch wiederum bessere als früher. Alleine, wenn man die medizinischen Möglichkeiten bedenkt. Heute geht man mit Zahnschmerzen zum Arzt, früher ist man nicht selten daran gestorben. So gibt es Vieles, was die guten, alten Zeiten widerlegen könnte. Aber kommen wir zu dem Schluss, dass es für Viele gerade nicht einfach war, aus welchen Gründen auch immer. So finden wir bei alten Kulturen schon Opferkulte. Was sagt uns das? Dass das Prinzip, das des sich Erschöpfens zwar stimmt, aber zu klein gedacht, es wohl nicht nur auf die heutige Zeit zu beziehen ist, sondern schon auf viele Jahrtausende, da wird dann eher ein Schuh daraus, auch, wenn natürlich der Wunsch besteht, dass sich in eigenen Lebzeiten was zu bewegen beginnt, deutet leider alles darauf hin, dass es sich wohl um einen sehr, sehr langen Prozess handelt und dennoch befinden wir uns jetzt in der Endphase dessen. In der Vergangenheit gab es Zeiten und Formspitzen von dunklen Auswüchsen, Hexenverfolgung, Sklaverei, Glaubenskonstrukte, Wirtschaftskrisen und Vieles mehr. Wenn wir auf die heutige Zeit blicken, gibt es auch Neues, ja aber auch Alles, das es je gab. Alles Dunkle, durch alle Zeiten hindurch, das es je gab, ist umfassend, wenn, auch manches nur in geringen Ausmaßen, aktuell anwesend. Und während alles Alte sich nochmals zeigt und Neues wie Klimakrise und Zwangsdigitalisierung usw. sich zuspitzen, wird auf der Loveparade der nackte Hintern

gezeigt und der Sprengstoffgürtel in irgendeinem Land gezündet, aber, bitte mit einer Maske wegen Corona.
Politiker zeigen immer mehr erkennbar ihre Menschen abgewandten Absichten und ihre augenscheinliche Unfähigkeit und ihren Eigennutz, wobei Manches in schon in eine absurde Richtung zeigt. Um es kurz zu fassen, es gibt nichts, was es nicht gibt im dunklen Spektrum der Wirkmöglichkeiten. Natürlich gibt es auch Hilfsorganisatoren, die sicherlich ein wenig hilfreich sind, wenn die eigenen Kosten ihrer Mitarbeiter erst mal von den Spenden abgezogen sind.
Aber natürlich, man kann nicht

alles verteufeln, es gibt auch einiges Schönes aufzuzeigen, dabei bezieht sich doch Vieles auf eigene Beziehungen und auf Eindrücke, die uns die Natur liefert, wenn sie schön und ausgeglichen ist usw. Dabei soll das jetzt nicht eine Werbeeinschaltung für Aussteiger sein. Weil, Menschen die mit der modernen Zivilisation brechen, um nur mehr von ihrem eigenen kleinen Boden zu leben, ohne Strom, dienen auch nur wieder einem Extrem und werden vom System belächelt, weil falsch abgebogen ist auch dienlich. Freiheit bezieht sich dann wohl eher auf die in der heutigen Zeit gegebenen

Ausuferungsmöglichkeiten in jede nur erdenkliche Richtung. Für Viele könnte es da schwer werden, eine seelisch verträgliche Form von Freiheit zu erlangen. Deshalb ziehen es auch einige vor, mit der angeblichen Freiheit der jeweiligen Gesellschaften nicht mehr mitzugehen und erfahren eine ganz neue Freiheit in der Begrenztheit ihres eigenen noch gesunden Seelenspektrums und gepaart mit den in die Mitte gebrachten geistigen Raumes, kann der Weltenkarren noch hinsteuern, wo auch immer er möchte. Es berührt diejenigen nicht mehr wirklich, die ihren Weg gegangen sind. Gebaut für die neue Zeit, lebend in der

Endzeit der alten Zeit.
Betrachtend und doch manchmal ein wenig erstaunt, wie absurd sich die Dunkelheit in dieser Zeit zeigt, ohne dass die Masse ein Auweh von sich gibt. So geht der Lift immer noch einen Stock tiefer und auch die Zeit zwischen den verschiedenen dunklen Vorstellungen wird immer kürzer von einer Unvorstellbarkeit in die nächste. Von der Flüchtlingskrise 2015 in weltweite Attentate, von jenen in den Klimawahn, vom Klimawahn zu Corona, von Corona in die Inflation, Gas und Ölkrise usw. Für diejenigen, die sich gern an allgemein gültige Expertenmeinungen, Politikeraussagen usw.

orientiert haben, ist es auch schwer, Narrative werden so schnell gewechselt wie noch nie. Selbst denken, das setzt voraus, sich selbst gefunden zu haben, wäre jetzt angesagt.
Doch Viele sitzen noch im Karren der Achterbahn, die mit einer Geisterbahn verbrüdert ist. So spielt sich in der heutigen Zeit noch alles aus in sich selbst und der Welt. Alles zeigt sich nochmal und Anderes erreicht seinen Zenit. Früher wurden Menschen mit ihren dunklen Potentialen oftmals in Korsetts gezwängt. Menschen mit ihren hellen Potentialen begrenzt und verfolgt und ihr Wissen auch oftmals passend gemacht für das bestehende System. Heute sind

Korsetts gelockert. Über Generationen Unterdrücktes sogar noch gefördert und verlangt vorgegebene, dunkle Strukturen zu leben. Heute ist es eine Mischung aus beidem. Man braucht nur die Augen zu öffnen. Es liegt alles offen auf dem Tisch für jeden sichtbar, der sehen möchte. Und, wenn es so weiter geht, wird es auch für jene sichtbar, die nicht sehen wollen. Wie schon gesagt, das dunkle System muss der Zeit gegebenen, höheren Entwicklung entgegensteuern und muss immer schneller und weiter nach unten greifen. Die Gier, die Oberflächlichkeit, Gewalt und die versuchte Manipulation und Vieles mehr, greift immer mehr um sich. Doch die Entwicklung des Menschen ist auf lange Sicht nicht mehr aufzuhalten. Es kann mit allen Mitteln noch etwas in die Länge gezogen werden, aber das ist auch schon Alles.

So gibt es jene (siehe Energiebilder), bei denen sowieso Hopfen und Malz verloren ist, aber das ist Jedem seine Entscheidung selbst. Jene, die ihre dunklen Anteile noch ausleben müssen und Jene, die sie geglückt übersteigen. Für Jene, die ihren Weg gegangen sind, heißt es zurückzulehnen, zum Beobachter geworden zu sein. Zu wissen, dass verbrannte Erde neues, grünes Gras bringt. Aber, auch mit dem natürlichen, gesunden Brauchen des Selbstes verbunden zu sein, wie auch immer das individuell bei jedem Einzelnen ausschaut. Und vor allem, die innere und äußere Struktur des Zukünftigen Menschen und Lebensrealität zu kennen, innerlich und äußerlich geoffenbart bekommen zu haben und ein lebender, lebendiger Teil davon zu sein. Dazu möchte ich noch einige Punkte kurz aufzeigen, obwohl die Übertragung dessen nicht einfach ist, weil innere Strukturen andersartigen, inneren Strukturen, nicht leicht übermittelbar sind, weil sie sich in der inneren Struktur des Anderen nicht spiegeln können und somit nicht leicht oder gar nicht erfassbar sind. Wenn schon, dann wäre das schon eine gemähte Wiese, weil es sich um die verbundene, gleiche Frequenzfamilie handelt. Nun zu den Punkten:

Wir möchten Euch einen Teil anhand des jetzigen Systems erklären, auch wenn es jenes in dieser Form nicht mehr oder nur mehr in Teilen geben wird. Nur wird dieses trotzdem anhand jenes erklärt, um eine gewisse Verständlichkeit herstellen zu können. Wir wollen auch nicht näher auf mögliche Kontakte mit sogenannten „Aliens" eingehen, weil es sich um ein bestehendes Glaubenskonstrukt handelt, ungesehen davon, dass es sich nur um Wesenheiten auf anderen

Entwicklungsstufen handelt. Es handelt sich beim Menschen um ein übergeordnetes Kollektiv, das sich noch in untergeordnete Kollektive gliedert und das sind die verschiedenen Rassen. Dass Rassen sich gern in ihrer eigenen verbinden, ist gegeben, dass es auch Verbindungen unter den verschiedenen Rassen gibt auch. Was das bestehende System aber stark forciert, ist die komplette Vermischung der Rassen, die dann in Einer münden soll. In der Natur betrachtet gibt es dann nur mehr eine Art von Blume und fertig. Alles andere gilt als rassistisch und das ist gewollt so. Menschen werden immer in Richtungen gedrängt, die von selbst nicht oder nur in Maßen eingeschlagen würden. Die Dunkelheit lebt unter anderem von Extremen. Das andere Extrem wäre es, Menschen verschiedener Rassen die Verbindung/Vermischung zu untersagen, siehe Rassenreinheitsvorschriften. Was zu diesen Umständen auch immer dazu gehört, ist die Annahme, das herrschende System hat immer recht. So variiert dieses Recht nicht nur zeitlich in verschiedenen Zeiten, sondern auch zeitlich gleich in verschiedenen Staaten der Welt und so wie in den USA sogar im selben Staat in verschiedenen Bundesstaaten. Was in einem Land erlaubt ist, ist in einem anderen verboten und mit Strafe belegt. Was also richtig ist, ist mehr als relativ und einem ständigen Wechsel unterzogen. Ein Mensch, der seine Urblaupause wieder erlangt hat, so wie er vom Urschöpfer erdacht wurde, ist zu 100 % kein Träger der Dunkelheit mehr, richtet sich aber natürlich auch nach seinem dimensionalen Stand aus, ansonsten lebt er nach dem Prinzip Leben und leben lassen. So ist das Wirken einer 5dimensionalen Wesenheit in der 3. Dichte lebend, ein anderes als das Wirken einer 5dimensionalen Wesenheit in der 5. Dichte am Anfang dieser in der Mitte oder auch am Übergang in die 6. Dichte.

Jedes Rassenkollektiv des Menschen hat in sich ganz eigene Eigenschaften, sowie jedes Individuum dieser Kollektive auch wieder ganz eigene Potentiale hat, die ein Leben lang bleiben aber auch wechseln können. Als Ganzes begriffen, ergibt das Rassenkollektiv Mensch wiederum ein harmonisches Ganzes, das naturgegeben auch Veränderungen unterworfen ist und einem ständigen Weiterschreiten. So herrscht absoluter Gleichwert aber nicht Gleichheit. Jedes Wesen und jedes Rassenkollektiv hat ein ganz eigenes Wesensspektrum. So bringt auch jeder seine

angeborenen Fähigkeiten ein, im Sinne des harmonischen Kollektivs gibt es keine gelebten Hierarchien, alles wird im Gleichwert betrachtet. Jedes Wesen ist ein gleichwertiger Teil des großen Kollektivs Mensch. Dazu gehören auch die Arbeitslosen oder Jene die sich eine Auszeit nehmen. In den meisten Fällen zählt der Satz „sowohl als auch".
So kann man auch das natürliche Brauchen definieren. Heutzutage wird alles getan, um das natürliche Brauchen erst gar nicht aufkommen zu lassen. Die Wirtschaft braucht dauerhaften und übermäßigen Konsum, auf der anderen Seite der Medaille steht dauerhafter

Mangel/Armut. Auch das gibt es im ursprünglichen Kollektiv Mensch alles nicht. So wie es keine Gesellschaften oder Menschen geben würde, die Milliarden horten usw. Im natürlichen Kollektiv Mensch braucht es auch kein Geld mehr. Menschen arbeiten 2-3 Tage und das wars, nach dem Motto; Der Mensch ist auf der Erde um zu leben und nicht um der Wirtschaft als 5-6 Tage-Wochen-Sklave zu dienen oder sowie anderenorts an Hunger zu sterben. Dafür arbeitet die überwiegende Masse der Menschheit aber nur mehr ein Drittel der Zeit, was jemand arbeitet, zeigen seine angeborenen Fähigkeiten, natürlich gibt es auch welche, die keiner Arbeit nachgehen, auch jene stehen natürlich im Gleichwert und sind gleich versorgt und geliebt wie andere. Neid usw. gibt es nicht, weil die innewohnende Frequenz im Menschen solches nicht mehr beinhaltet. Jeder braucht, was er braucht, der eine mehr, der andere weniger, es ist aber ein natürliches Brauchen der jeweiligen Wesen und das ist vom jeweiligen Wesen individuell auch, wenn möglich, ein wenig beeinflusst seiner rassenhaften Eigenheiten.

Der Genderwahn von heute zeigt dasselbe auf, wie bei der angestrebten ganzheitlichen Rassenvermischung. Und so wie früher Homosexualität verboten und bekämpft war, ist heute das „normale" Bild von Frau und Mann in Beschuss und Alles, was darüber hinaus geht, wird über alle Maßen gefördert und Menschen massiv in diese Richtung gedrängt. Und so wie früher 18jährige noch nicht aufgeklärt waren, beginnt heute die Frühsexualisierung schon im Kindergarten. Und durften Jungen früher nicht weinen, weil sie männlich stark sein mussten, sollen sie heute Kleider tragen und sich schminken. Kurz gesagt, die „Liebe" fällt hin, wo sie hinfällt und nicht wo sie hingetrieben wird. Und in der Geschlechterfrage ein unbeeinflusstes und gedrängtes sowohl als auch. Von einem Extrem ins andere. Und immer hat das bestehende System recht und anderes Denken ist sogar oft mit Strafe bedroht. Aktuell ist es in den USA gerade zu einer Diskussion gekommen, dass auch für Vergewaltigungsopfer Abtreibungen verboten wurden (in Arkansas, Kentucky und Louisiana). Vorher waren Abtreibungen bis zur 24. Woche erlaubt. Und wiederum grüßen die Extreme. Manche wollen sogar die Möglichkeit, Kinder noch nach der Geburt töten zu können, aber auch das wird sich regeln, weil weibliche Wesen einen anderen Zugang zur möglichen Empfängnis erhalten werden und die Männer zur möglichen Zeugung. Wie schon aufgezeigt, Extreme wechseln sich ab im Minus-Minus-System. Alles das und noch mehr wird die Menschheit hinter sich lassen. Es versteht sich natürlich auch von selbst, dass Erfindungen, die der Menschheit dienen, nicht mehr unterdrückt werden, weil sie für Kapital und Macht nicht dienlich sind, dasselbe gilt für die Medizin usw.

Das war ein winziger Einblick in zukünftige Zeiten. Mehr würde ein weiteres Buch füllen. Aber auch mit welchen Turbulenzen wir konfrontiert waren und sind, das Leben und das Lebensgefühl an sich ist das Wunderbarste, das es gibt.

Ebenen

Umso mehr höher-energetische Ahnungen Ihr gesammelt habt, umso mehr beginnt Ihr die Unterschiede zu spüren. Nicht nur Unterschiede in den Ahnungen, sondern auch in der Frequenz, so ist die (elektrische) Q-Frequenz eine ganz andere als die magnetische Frequenz, sie wird auch absolut anders übertragen, in Spannung und Qualität, auch an so viel Schönheit und Sanftheit und doch Stärke und Kraft, muss sich Euer Körper, Euer gesamtes ICH BIN erst gewöhnen, es soll sich ja nichts verkrampfen, sondern fein und harmonisch fließen, rauf, runter, ein, aus.

Einen Schritt nach dem anderen. So wie sich Euer Atem verselbständigt in Eurem Körper eingeschwungen hat, Eure gesamten Körperfunktionen verselbständigt sind, Eure Wahrnehmungswerkzeuge mittlerweile verselbständigt sind, wird sich auch die dazu gehörige Energie im Konvolut mit dem vorher erwähnten Rest, vollends in die Verselbständigung gehen. Dann beginnen die nächsten Schritte im Vollbesitz ein magnetisches Wesen zu sein, ein Teil von ES dem Wesen.

Geld: Ein Abhängigkeitsverhältnis der besonderen Art

Jetzt wird immer so getan, als würden Unternehmer Arbeitsplätze schaffen, dabei schaffen Arbeiter Unternehmen, somit die Arbeitsplätze. Kunden sind wiederum Arbeiter anderer Unternehmen. Das Einzige, was das Unternehmen mitbringt, ist die Wirtschaftsidee, die Kunden bringt oder auch nicht.

So steht Geld für Lebensenergie. Geld steht anstelle von Lebensenergie im künstlichen Q-System. Die ersten Münzen waren bildlos und können als „Qualität" (-) an sich stehen.

Später kamen Bilder von Machthaltern auf die Münzen (Könige, Kaiser etc. pp. = das Zepter), (Reichsapfel) von Gott (Satan, Q), der Reichsapfel, der zwar gegessene, aber unangebissene Apfel, denn die, die die Macht haben, haben Kenntnis über die Wahrheit und haben sich im vollen Bewusstsein für die Lüge entschieden, um Macht zu haben, an der Macht zu bleiben, in ihrem begrenzten Königreich, dem begrenzten, beschnittenen (Bund) Bewusstseinsfeld.
Schwert (siehe auch kirchlichen Segnungsgruß mit flacher Hand) und die heilige Lanze (Speer des Schicksals), sie enthält angeblich ein Stück eines Nagels vom

Kreuz Christi. Mit dieser Lanze wurde der Tod Jesu überprüft und soll in dessen Blut getränkt sein und gehört zu den HERRSCHAFTS-INSIGNIEN der Könige und Kaiser des Heiligen, römischen Reiches. Und dämmert es schon? Insignien: Ist ein Zeichen, Symbol staatlicher, ständischer (Feudalvorstufe des Kapitalismus) oder religiöser Macht oder die Auszeichnung der Dienlichkeit in, für, diese. Krone, Mithra (Bischöfe), Schleier, Binett, Lorbeerkranz, Amtsketten, PEKTORALE – „Brustkreuz" geistlicher Würdenträger, Ballium, Habit, Fischerring (Papst), Krummstab, Schwaggerstick

(Vitis), Ferula (Kreuzstab), Hoheitszeichen (Staat, Staaten, Staatshoheit, Staatenbund), Wappen, Siegel, Kronen, Verdienstkreuze, Orden, Verleihung von Adelstiteln und Akademikergraden, staatsübergreifend (UNO usw.) etc. pp.

Es ist übrigens ein Zufall (kein Zufall), dass dieses Kreuz meist in Magenhöhe (Bauch) zu liegen kommt. Gerade unterhalb des Herzens liegt der Machtpunkt. Darunter beginnt das Machtfeld (Erregungsfeld), an dem das emotionale Erregungsfeld (Brot und Spiele) des Q-Humanoiden. Die Krone, das Gehirn, Gehirnhälften harmonisiert =

materielle Intelligenz (Hörner). Die Fackel über dem Kopf der künstlich erschaffene, geistige Raum (=mentale Kraft). Sitz des immatriellen Satans. Verbunden mit dem materiellen Satan im Fleische (siehe eben nicht freischwebendes Pyramideon) und das allsehende Auge. Und jetzt trennen wir mal Spreu und Weizen. Der Apfel ist reif und vom Baum der Erkenntnis gefallen.

Mensch

Wie definiert sich ein Mensch, ein Mensch definiert sich über seine Grenzen. Nur der Mensch, der seine eigenen Grenzen erkannt hat, hat sich selbst erkannt. Dieser Mensch hat sein Ich erkannt, er kann somit die Verdichtung in ihm wahrnehmen, die ein Mensch als Ich bezeichnen kann, der Mensch wird zu einer verdichteten Größe, er wird standhaft. So erkennt Mensch sich selbst, so kann er sich definieren in der Welt, diese Grenzen werden zu einem Resonanzkörper, zu einem greifbaren Resonanzkörper für Andere, aber auch für sich selbst! Nun wird in gewissen

Kreisen propagiert, dass man, um sich entwickeln zu können, nicht werten soll, ja man sagt, das Entwickelte wertet nicht, für das Entwickelte gibt es kein Schlecht und kein Gut, somit auch kein Ja und kein Nein. Die Aufforderung an einen Menschen, seine Grenzen, seinen Resonanzkörper aufzugeben, ist die Aufforderung, seine Erdung aufzugeben, seinen gesunden Ichbezug, ein nicht wertendes Etwas, ein Spielball für jeden Guru, ein gefundenes Fressen für Menschen, die selbst zu feig sind, ihre inneren Vorstellungen im Außen auszuleben. Eine Grenzänderung hingegen, eine Wertänderung und somit seinen

Resonanzkörper und somit die Schwingung, die er erzeugt und die Schwingung, die er empfängt, kann und darf nie ohne Erdung erfolgen. Er lässt sich leben durch Andere. Der Satz leben und leben lassen, bekommt bei einem Guru eine ganz andere Definition, somit eine Tragweite der besonders schlimmen Art. Dieser Satz in dieser Situation übersetzt: Wenn Du alles, was auf dich zukommt, leben lässt, kannst auch Du leben, das hat die Auflösung Eurer Grenzen zur Folge, der Guru kann laufen, soweit er will, ohne anzustoßen. Was ist nun Grenzlosigkeit? Grenzlosigkeit ist Wertlosigkeit. Wenn man Werte in sich definiert und, um sie zu definieren, muss man dessen Sinnhaftigkeit begreifen. Die Sinnhaftigkeit begriffen zu haben, gibt dem, der begriffen hat, wiederum ein harmonisches, stabiles, schönes, inneres Klimakterium, das er als sein inneres, spürbares Ich wahrnehmen kann, bezeichnend für diesen Zustand ist die innere Fülle, das innere Ausgefülltsein durch sich selbst, das Ruhen in sich selbst, verankert in den Grenzen, die sein Selbst im Inneren aber auch in seinen äußeren Handlungen definiert. Wir können auch von einer Eigenfrequenz sprechen, in der sich dieser Mensch bewegt. Die Eigenfrequenz ist mit der Frequenz des Lebens verbunden und ist Teil der Frequenz des Lebens. Und alles, was dieser Eigenfrequenz widerstrebt, also sie stört, tut er nicht. Deshalb könnten wiederholte Handlungen gegen die Eigenfrequenz dazu führen, dass sie instabil wird, so instabil, dass man sie nicht mehr wahrnimmt. Somit ist man zum Suchenden geworden, zum Suchenden nach einer Frequenz, an die man sich im Kopfbereich zwar irgendwo erinnert, aber fühlen, nein, fühlen kann man sie nicht mehr. Man sucht im Außen nach Menschen, die einem Entwicklungshilfe geben können, so ebnet man den Weg für Gurus, für welche auch immer, denn mit dem Verlust der Frequenz tritt auch ein innerer Mangelzustand auf, der immer schreit, gefüllt werden zu wollen. So gehen Manche den materiellen Weg, um diese Leere zu füllen, aber materielle Spielsachen wirken nur kurz, werden langweilig und es muss immer wieder etwas Neues her, ein gefundenes Fressen für die Wirtschaft, Ihr geht viele Wege und immer wieder werdet Ihr ein gefundenes Fressen für Andere, aber meist ausnahmslos für Menschen, die sich gar nicht erinnern können, dass es da eine Frequenz gibt, an die man sich erinnern kann. Diese definieren die Welt und sich selbst durch angelesene, angelernte, staatsabhängige, religionsabhängige Wertkonstrukte. Wertkonstrukte, die sie ermächtigt haben, Eigenverantwortung abzulegen. Künstliche Wertkonstrukte definieren ihre Grenzen. Wenn ein solches künstliches

Wertkonstrukt nicht mehr passend ist, suchen sie sich ein neues, sie erfinden sich sozusagen neu und das sagt ja das Wort schon, sie erfinden sich, eine Erfindung ist nie die Wahrheit. Doch in diesem Prozess geht es um die Wahrhaftigkeit seiner Selbst. Denn, nur über das Erkennen seiner eigenen Schatten kann man wieder zu den Grenzen kommen, die man verloren hat oder gar nur in verschwindend geringer Form besessen hat, für die einen ist es ein Weg nach Hause zu sich selbst, für die einen, die Heimatlosen, ein Weg, der ihr wahres zu Hause entstehen lässt.

Die Grenzen, die die Frequenz des Menschen erzeugt, sind nicht definierbar durch Worte, es ist umschreibbar damit, es ist eingrenzbar, aber die letztendlichen Grenzen sind nicht definierbar durch das Wort, sondern durch die Frequenz selbst. Wir nennen diese Frequenz Liebe, Leben oder aber auch Licht, das sind Worte, Begriffe, mit denen Ihr etwas anfangen könnt, zumindest dann, wenn Ihr Euch ganz eigene Gedanken darüber macht und nicht gleich wieder versucht, Liebe und Licht leichtfertig an ein künstliches, schon erschaffenes Konstrukt, festzumachen. Nein, wir regen Euch an, ein für Euch eigenes, inneres Konstrukt zu erschaffen, Übung macht den Meister. Ihr könnt es auch so betrachten, dass alle Euch bekannten Konstrukte nur Übung waren für die gesamte Menschheit, um schließlich etwas Neues zu erschaffen, ohne ein schon bestehendes Konstrukt zu Eurem eigenen zu machen. Arbeitet mit den Worten Licht, Liebe, Leben, Gleichwert. Experimentiert mit ihnen, verändert die Reihenfolge der Wörter, um ihre Wichtigkeit zu begreifen! Erst dann, wenn Ihr einige Zeit selbständig mit diesen Worten gearbeitet habt, könnt Ihr Euch schon bestehende Konstrukte betrachten, denn erst dann geben sie Euch auch die

Informationen, die Euch auf Eurem Weg hilfreich sein können. Aber vor diesem wichtigen Schritt kommt noch ein anderer, wichtiger. Das Werten, das Werten Eurer Außenwelt, wertet was das Zeug hält. Tut das, was Euch gesagt wird, was man ja so gar nicht tut, wenn man Spirit haben möchte, wertet! Gut, schlecht, gut, schlecht, gut, schlecht und weiter, bis die ganze Energie, die sich aufgestaut hat, weil Ihr ja nicht werten sollt, abgebaut habt. Lasst dem Inneren seinen Lauf, das Ihr immer unterdrückt habt, und zwar gedanklich und für Euch alleine, ihr werdet sehen, die Gespenster, die Ihr unterdrückt habt, gegen die Ihr

gekämpft habt, werden Euch verlassen. Mal innerlich angeblich böse zu sein, kann auch Flügel verleihen. Somit lasst Ihr all das angeblich Schlechte, das irgendein Wertkonstrukt in Euch bezeichnet hat, aus Euch heraus und alles, was Euch je an Eurer Außenwelt gestört oder verletzt hat, ist verneint und das Schöne bejaht. Irgendwann kehrt Ruhe in Euch ein.
Also gehen wir die Schritte noch einmal durch:

Plan A

1. Arbeiten mit den Worten Licht, Liebe, Leben, Gleichwert
2. Werten, was das Zeug hält

3. Sich mit bestehenden Glaubenskonstrukten beschäftigen

Na, wieder anwesend, dann gehen wir wieder zu unserem, schon anfangs angesprochenen, Spiritguru, in der Hoffnung, dass Ihr ihn nicht mehr braucht, wenn schon, dann lest dieses Buch, wenn Ihr ihn immer noch brauchen solltet, tritt Plan B in Kraft, wir fangen mit Plan A wieder an.

Die Krone der Schöpfung:

Der Mensch, die Krone der Schöpfung, nein, das seid ihr wirklich, Ihr seid viel höher als der König der Löwen. Der Löwe bringt Zebras und anderes Getier um, stillt seinen Hunger und geht. Aber Ihr, Ihr bringt alles um, deshalb seid Ihr die Krone der Schöpfung. Ihr seid auch die Krone dieser Schöpfung, weil Ihr zwei Hände habt, um schöpferisch tätig zu sein. Um Eure pervertierten, materiellen Schöpfungen gewinnbringend an den Mann zu bringen, das und Vieles mehr, macht Euch zum König Eures 1-3 Dichte Reiches. Denn, Ihr alle seid Abkömmlinge Eures Herrn, Eures Gottes. Nun, Ihr habt zwei Hände, um schöpferisch tätig zu sein, so wie er, Euer patriarchaler Schöpfergott, dessen Ebenbild Ihr seid. Ihr drei großen Völker, dessen Vorfahren Euer Gott so zahlreich gemacht hat, streitet doch nicht länger, wessen Volk das Lieblingsvolk Eures Gottes ist. Denn, Ihr alle habt ihm große Huld erwiesen, schon lange bevor er sich als dieser Schöpfergott in Eurem Bewusstsein zeigte, präsentierte er sich in zahlreichen anderen Götterbildern, nicht minder schlagkräftig und grausam, erfolgreich und zerstörend. **Da stellt sich die Frage, was war vorher, die Götter, die Euch schufen oder Euer krankes Bewusstsein, das Eure Götterbilder schuf.**

Betrachten wir die Bibel und die Tora, das Alte Testament, nichts Besseres, als dieses Gottesbild hätte den Juden (Zionisten) einfallen können, um ihre territorialen Ansprüche rechtzufertigen. Alle Völker um sie herum, die nur den Anschein erweckten, etwas Macht und Land zu besitzen, wurden als Götzendiener abgestempelt. Sie selbst setzten sich als das wahre und einzige Volk dieses einen allmächtigen Gottes in Szene, ihr stärkster Antrieb war ihr Volksstolz, denn Land hatten sie ja keines, ihren ungebändigten Hass auf die Völker, die alles hatten, starke, mächtige Götterbilder, Land, Besitz und Reichtum, sie hatten nichts, außer ihren übergroß angeschwollenen Neid. Irgendwann in der geschichtlichen Vergangenheit Eurer Kulturen, begann der Kampf um dieses Gottesbild, viele Völker wollten es besitzen. Dieses Götterbild, das Ihnen keiner streitig machen konnte. Der Gott, der allen anderen Götterbildern über ist, denn dieses Götterbild des einen, des größten Allgottes, der alles, was man erblickt, gemacht hat, das Weltall, wie die Erde, die Pflanzen, die Tiere, die Wasser, den Menschen, das Leben, den Tod. Ja, dieser Gott, der einem als Ausweg nicht mal mehr geringere, von der Struktur her vielleicht sympathischere, Untergötter lässt, um diese anzubeten, ja, dieser Gott gibt dem Volk, das dieses Gottesbild

besitzt, Exklusivrechte, um die Herrschaftsverhältnisse auf der Erde ein für alle Mal zu klären. Denn nur das auserwählte Volk unter den Völkern auf der Erde, kann das sein. Da das Alte Testament ja leider davon spricht, dass Alles von diesem einen Gott kommt, also auch alle anderen Völker, musste es ja zwangsläufig zu der Geschichte des auserwählten Volkes kommen. Und dieses auserwählte Volk waren nun mal die Juden (heute Zionisten).
Heutzutage halten sich auch die Muslime für das auserwählte Volk, weil Mohamed in ihrem Sinne der letzte Prophet war.

Nun wollen wir an die Worte von Jesus erinnern, der von diesem, jenem Gott spricht: (aus www.Bibel-de.org) Johannes 8)

[38]Ich rede, was ich von meinem Vater gesehen habe; so tut ihr, was ihr von eurem Vater gesehen habt.
41 Ihr tut eures Vaters Werke. Da sprachen sie zu ihm: Wir sind nicht unehelich geboren, wir haben einen Vater, Gott.

42 Jesus sprach zu ihnen: Wäre Gott euer Vater, so liebtet ihr mich; denn ich bin ausgegangen und komme von Gott; denn ich bin nicht von mir

selber gekommen, sondern er hat mich gesandt.

43 Warum kennet ihr denn meine Sprache nicht? Denn ihr könnt ja mein Wort nicht hören.

44 **Ihr seid von dem Vater, dem Teufel, und nach eures Vaters Lust wollt ihr tun. Der ist ein Mörder von Anfang und ist nicht bestanden in der Wahrheit; denn die Wahrheit ist nicht in ihm. Wenn er die Lüge redet, so redet er von seinem Eigenen; denn er ist ein Lügner und ein Vater derselben.**

45 Ich aber, weil ich die Wahrheit sage, so glaubet ihr mir nicht.

So viel zum Gott der mosaischen Religionen!

Auch beim Christentum: Ablasshandel, Kreuzzüge, Hexen- und Ketzerverfolgung, Pädophilie usw.

Angst

Angst der treibende Motor dieser Welt. Eine Wissenschaftsstudie besagt: Geld macht nicht glücklich. Den Forschern zufolge nehmen Menschen ihr materielles Wohlergehen nie als ausreichend wahr, weil sie es mit wachsenden Geldmitteln wiederum an dem vergleichbaren

Umfeld messen und somit den
Drang zum Mithalten und
Steigern wieder wächst. Was
sagen wir dazu, was solls,
zumindest wenn Geld schon nicht
glücklich macht, beruhigen tuts
allemal. Denn, die Vielen, die
dieses Glücklichkeitsproblem
noch nicht haben, müssen sich
vorerst noch überlegen, wie sie
ihre Grundbedürfnisse wie
Unterkunft,
Heizung, Strom und
Lebensmittel durch ihre
Arbeitsleistung ausreichend
abdecken können.

Der Beobachter – das Natürliche Wesen

Ein Unfall, ein Verletzter, viel Blut und eine Horde Schaulustiger, die das Geschehene (Unfallopfer) sehen wollen. Um das Geschehen zu sehen, braucht es keinen geringen Abstand, um das Geschehene zu sehen schon. Wer jemals so etwas Geschehene mit all seinen Sinnen miterleben musste (Unfallbeteiligten) oder miterlebte (Ersthelfer), der wird nicht zu den Schaulustigen des Geschehenen zählen, kein Mensch, mit all seinen Sinnen, wird dies. Er würde aber bei gegebenem Anlass wieder

Ersthelfer sein. Eine Arztpraxis, der Warteraum ist voll, auch am Gang bei der Anmeldung stehen Menschen. Eine leicht gehbehinderte Frau mit einer Krücke sitzt im Wartezimmer und beginnt zu husten, in immer kürzeren Abständen, immer länger. Sie steht auf, um besser Luft zu bekommen. Der Hustenanfall wird stärker, der Kopf wird rot und sie bekommt kaum mehr Luft. Ein Beobachter mit all seinen Sinnen, hat es gesehen, so wie er Vieles gesehen hat, was andere nicht sehen, aus Reduziertheit und Empathielosigkeit. Ein Beobachter, das natürliche Wesen hilft der alten Frau, klopft ihr auf den Rücken, besorgt ihr ein Glas Wasser, leitet sie an, ihre Hände nach oben zu strecken, damit ihre Lunge mehr Luft bekommt, beruhigt ihre Panik aufgrund des Luftmangels. Der Rest der Anwesenden schaut entweder mit einem Blick, der den Helfer in ihren Augen der Lächerlichkeit überführt. Der Rest glänzt durch Abwesenheit. Was macht also einen Beobachter – das natürliche Wesen, aus. Seine aktiven Sinne. Die Sinne eines natürlichen Wesens. Und sowie ein Mensch, der schläft, nicht mitbekommt, was um ihn herum geschieht, bekommt es auch ein Mensch mit geschlossenen Sinnen nicht mit.

Und dann gibt es jene, die im
Wachkoma liegen.

Wecksignale

Ein Wecksignal könnte das hier
Geschriebene sein oder aber
auch eine Bestätigung für Jene,
die sich gerade den Schlaf aus
den Augen gerieben haben, wobei
Manche noch ein wenig
nachschlafen und den
Wiederholungston des Weckers
immer wieder abdrehen und so
wechseln zwischen natürlichem
Beobachter und Träumer.
Während andere nach dem
ersten Klingelton putzmunter
sind. So kann das Geschriebene

verstanden werden, weil es schon verinnerlicht ist. Oder nicht verstanden werden, aber der Drang es verstehen zu wollen, dann liegt die Basis zur Verinnerlichung vor. Wenn es Euch egal ist, wird es ein anderer Wecker (Wecksignal) schon richten. Wenn Ihr es lasst, verachtet und verhöhnt und bekämpft, dann könnte es sein, dass Euer schöner Traum Euch schon zu einem Wachkomapatienten werden ließ. Und da wir das jetzt so gut verstanden haben, können wir die Rechnung gleich erweitern, denn wenn man versteht, wird es leichter, schöner ist wieder etwas anderes. Während im Wachland die Anwesenden über mehr als ausreichend Platz verfügen. Also nicht nur ein einsamer Weg, sondern auch ein ziemlich spärlich besiedelter Planet. Wer also die Erfahrung eines Alptraums durchgemacht hat, will sicher nicht ins Traumland zurück. Aber nun zurück zum natürlichen Beobachter und dem Ton des Seins.

Vom Ton des Seins und dem Erbgut des Schreckens.

Im Erbgut unserer DNA verankert sich ein Aufstieg und Abstieg. Zuerst ist eines zu verstehen, die Wachkomatypen vom vorigen Kapitel sind keine Wachkomapatienten, sie wollen nicht gerettet werden. Ihr Kampf dient nicht dem Leben, in das sie zurückwollen. Ihr Kampf ist gegen das Leben gerichtet. Nur dumm, dass man im Traum auch stirbt. Was macht das Wesen im Wachkoma aus? Der Verschluss des Herzens? Noch viel schlimmer, das Stadium danach. Aber sie haben recht, sie können nicht mehr sterben, denn sie sind schon tot, aber sowas von mausetot, denn ein Wesen, das nicht mehr gehen kann, kann auch nicht mehr kommen. Und wenn wir das Wort Wesen jetzt aus einer anderen Perspektive betrachten, das Wesen nicht im Sinne eines Baumes, sondern eines Waldes. Denn dasselbe Wesen wirkt in jedem einzelnen Baum, Blume, sowie in der der ganzen Blumenwiese, das lebendige Wesen Mensch, der Beobachter, stehend in der „Baumschule" mit erst wenigen Artgenossen, ein ziemlich karger Planet mit riesigen, künstlichen Bauwerken. Das andere Wesen liebt künstliche Bauwerke sowie künstliche Kreaturen, die das Land besiedeln. Sein Hass gilt den Bäumen und doch sie bis auf den letzten auszurotten, würde ihm die Luft zum Atmen nehmen. Eine besondere Form der Hass-Liebe, ein Hass Brauchen, das im Kapitalismus seine lebenshassende Krönung findet.

Die Welt besteht aus 80 % aus einer humanoiden Lebensform, die sich zwar Mensch nennt, aber durch Mangel an Vollendung, keiner ist. Und diese Nichtvollendung ist das Fundament der Welt. Das Paradies ist nichts anderes als die Erde verbunden mit dem vollendeten Menschen und dem höheren Kosmos, somit in einer anderen schöpferischen Schwingung. Und da liegt auch

ein Unterschied zwischen
Schöpfer, Erschaffer/Erbauer.
Mensch/Schöpfer natürliche
Illuminaten. Humanoide
Lebensform/Erschaffer/Erbaue
r – Bauherren der Welt,
technische Illuminaten –
schwarze T-Shirts, Eliten –
Dunkelkräfte – Teufel – Satan
usw.

Was richtig und falsch ist, sagt
das Gesetz, die Gesetze und
Verordnungen, nicht das Gefühl,
Herz und Geist.
Das Gesetz, die Gesetze,
Verordnungen und Vorschriften.
So kann Verantwortung immer
verschoben werden. Aber wer
gibt ihnen das Recht dazu? Der
Schöpfer? Nein, nicht mehr, der

Trick zieht nicht mehr so richtig, Demokratie ist angesagter, die Menschen selbst geben ihnen das Recht dazu, sie wählen durch Wahlen, obwohl die Wahl nicht eine wirkliche Wahl lässt. Und was ist, wenn man eine Wahl, bei der man keine
wirkliche Wahl hat, nicht mehr möchte? Nun man kann diesen Umstand laut aussprechen, es ist eine Abkürzung, um hinter das wirkliche Wesen von Demokraten zu blicken. Man könnte auch warten, bis Viele diese (Aus)Wahl nicht mehr in Anspruch nehmen möchten, dann werden wieder verpflichtende Wahlen für die angebotene Nichtwahl eingeführt. Aber die Ablehnung einer Demokratie

bringt eines zum Vorschein, das wirkliche Wesen, die Diktatur. Diktatur, Alleinherrschaft, die Sichtbarkeit auf die, die keine wirkliche Wahl haben. Die keine wirkliche Wahl haben ist Faschismus.

Jaja die Krisen, die häufen sich und die Straftaten, ja die ja auch. Während die Krisen alle Putin gemacht sind, sind die Straftaten zu 99,5 % von (Neo)Nazis und NeuRechten gemacht.. Die Deutschen haben die beste Regierung aller Zeiten und die Österreicher, die fähigste und beide sind vom Volk über alle Maßen geschätzt und geliebt. Beide Staaten haben auf das neue Gold, den Zuwanderungen, gesetzt und gewonnen. Das Volksvermögen ist um hundert Milliarden gestiegen. Jeder Bürger kommt mit einem Guthaben von an die 50.000 Euro schon auf die Welt. Der Satan Putin mit seinem feigen und hinterhältigen Angriffskrieg gegen die Ukraine, den anständigsten und heiligsten Staat der Welt und seinen Wirtschafts- und Gassanktionen gegen Europa. Das Volk Russlands hasst Putin abgrundtief aber lange wird das Ganze nicht mehr andauern, denn Putin hat Krebs im Endstadium, Alzheimer, seine Psyche muss mit Tabletten stabilisiert

werden und Windelhosen halten seinen ständigen Harnfluss zurück.
Dagegen Selenksky jung, integer, gegen jeden Zweifel erhaben, ehrlich, friedliebend, einer Friedenstaube gleich, mit Engelszungen surft er mittels Konferenzschaltungen zu allen möglichen Staaten und hält nur eines bereit, Friedensapelle an den Massenmörder Putin und die NATO, der sogar nicht davor zurückschreckte, die Gasleitungen nach Europa in die Luft zu sprengen und somit die Versorgung ganzer Völker zu gefährden. Seine eigene Krimbrücke in die Luft zu sprengen um die Schuld den Ukrainern zu geben und diese

mit einem wahrlichen
Feuersturm über die Städte der Ukraine zu beantworten mit tausenden Opfern.
Obwohl alle Versprechungen seitens der NATO an Putin korrekt eingehalten wurden und er immer zuvorkommend und fair und freundschaftlich von allen Staaten behandelt wurde... grins.
Und das in Zeiten, wo die Welt gebeutelt ist von der Klimawendekrise, Coronakrise, von Kriegen, die Gefahren des politischen Islams, Teuerungen und Teuerungen usw. ....

Warten

Glaubt Ihr wirklich, dass sich ein Politikerjob wie Arbeit anfühlt? Beginnen wir mit dem Umstand des Wartens. Jeder weiß, wie sich warten anfühlt. Manchmal ist es richtig schwer, sich im Warten festzuhalten, zum Beispiel bei einem Arzt, auf einem Amt. Das Warten macht müde, wirkt Energie raubend, eigentlich möchte man wieder gehen, wieder in den eigenen Fluss kommen. 10 Minuten fühlen sich an wie eine Ewigkeit. Manche könnte dieses Warten jetzt an Arbeitszeit erinnern, auch Arbeitszeit kann sich so anfühlen. Es ist keine satte Müdigkeit, die dabei rauskommt.

Es ist wie, als würde man sich energetisch auf allen Vieren kriechend im Lebensenergieabzugsofen befinden. Endstation Burnout. Was heizt noch den Ofen an. Konflikte, Körperliche Schmerzen, seelische Verletzungen, das Aus-dem Fluss-Kommen. Die Unmöglichkeit, seinem Eigenantrieb nachzugehen. Gelegentlich macht nichts. Dauerhaft, die Lichter des Akkus gehen aus. Was ist der Akku? Der Akku ist die Reservebatterie und wird der verwendet, kommt es in der Folge auch zu körperlichen Krankheiten. Nun kann dieser Prozess über Jahre,

Jahrzehnte, gar die ganze Lebensspanne hinziehen. Aber jetzt kommen wir nochmals zurück zum Warten und dem Verlust von Energie, denn der, der sie abzieht, hat sie. Wir bleiben ein wenig beim Warten, bevor wir zur „Arbeit" kommen. Das Warten kann uns noch etwas anderes zeigen, nämlich etwas aufzeigen. Wann, besser gesagt auf wen, wartet Ihr gern. Auf Euren Liebsten, Eure Liebste, wenn Ihr eine Verabredung habt, Ihr zu früh seid oder der andere zu spät kommt, wenn die Freude auf Gegenseitigkeit beruht. Wenn nicht, würde das Ganze nämlich schon wieder ein ganz anderes energetisches Bild ergeben. So ergibt sich auch

oftmals ein Bild in einer anderen Beziehung, das uns das Warten eröffnen kann. In medialen, öffentlichen Szenen, was seht Ihr da, warten
die Politiker auf die Journalisten oder ist es umgekehrt. Die Journalisten (Aber der Boss nicht mit ihnen). Wartet der Manager auf den, der sich vorstellt? Nein. Warten kann auch ein
Hierarchieverhältnis aufzeigen. Die Geheimschaft der Geheimschaft (Bilderberger) wiederum derselbe Strang, an der diese Hierarchie zieht, ist demselben Punkt dienlich, nämlich dem fragmentierten, menschlichen Sein. Das fragmentierte menschliche Sein

kann man auch als
Niederfrequenz bezeichnen.
Sowie das aufsteigende, das der
menschlichen Vollendung
zustrebt, Hochfrequenz.
Hochfrequenzen sind gemäß
ihrer Eigenschwingung
Eigenenergieversorger, weil
nicht nur der vollendete,
natürliche Mensch, sondern auch
der Mensch auf dem Weg
dorthin, mit Energie versorgt ist
von der Urquelle. Ich möchte
Euch nicht verheimlichen, dass
der Weg zu Euch selbst, an dem
Ihr neu informiert und somit
transformiert werdet, kein
leichter ist und dass es ab einem
gewissen Zeitpunkt kein Zurück
mehr gibt. Also um überhaupt
noch wohin zu gelangen, werden

Ihr diese Bergtour zu Ende
gehen müssen, denn nach dem
ersten Teilstück hinauf auf
diesen Berg ist es ein Weg ohne
Wiederkehr. Sobald Ihr den
Etappensieg zu Eurem höheren
Herzen geschafft habt, wollt
Ihr nicht mehr zurück und wenn
Ihr die nächste Etappe
geschafft habt, könnt Ihr nicht
mehr zurück, aber das wildeste
kommt erst noch, aber dazu
später.
Also vorerst zu den anderen
Bergstationen, zuerst wollt Ihr
ja gar nicht zurück und Ihr
schaut auch nicht zurück, aber
dann bei der nächsten
Bergstation seid Ihr schon recht
müde, nach oben ist es noch ewig
weit und Ihr liebäugelt ein wenig

mit dem Tal und dreht Euch danach um, oh du Schreck, oh weh, das Tal ist weg und bei jedem Schritt, den ihr vorwärts macht, verschwindet dieser Teil des Weges hinter Euch, das Tal ist die Gesellschaft, in der Ihr lebt, durch die Informationen, die Ihr bei jedem Schritt Eures Weges erhalten habt, hat sich der Bruch zur bestehenden Gesellschaft in Euch vollzogen, Ihr könnt nicht mehr zurück, so sehr Ihr es auch möchten würdet, Ihr habt Euch weiter entwickelt, Ihr seid vom Kind zum Erwachsenen gereift, es gibt kein Zurück mehr, obwohl das ein nicht geglückter Vergleich ist, denn das Erwachsenwerden ist ja, wenn man es bei Menschen betrachtet, kein Fortschritt, sondern ein Rückschritt. Also betrachtet es so, dass Euer niederes Programm von einem höheren überschrieben worden ist. Und doch liebäugelt Ihr hin und wieder mit den alten Strukturen, denn die neue, die in Euch ist, ist nicht im Außen, somit habt Ihr fast das Gefühl, als würdet Ihr nicht leben, alle anderen leben, nur Ihr nicht, irgendwo mag das auch seine Richtigkeit haben, den Freuden, die andere in Euren alten Strukturen empfinden, fühlt Ihr nicht mehr, aber umgekehrt können Euch aber auch Ärgernisse, die andere haben, nichts mehr anhaben. Ihr seid offiziell zum bewussten Mitspieler geworden, andere Menschen nehmen Euch als den ihren wahr, eben, weil Ihr mitspielt, aber eben bewusst, das ist der gewichtige Unterschied. Dadurch, dass Ihr einmal ein unbewusster Mitspieler gewesen seid und genau die Spielregeln kennt, um in diesem Sumpf überleben zu können, so fällt Euch das als bewusster Mitspieler viel leichter, weil Ihr durch Euer neues Programm nicht mehr in der Lage seid, Gefühle aus dieser Gesellschaftsstruktur zu beziehen, seid Ihr aus dieser Abhängigkeit heraus getreten, Euch kommt es in der Wahrnehmung oft so vor, als würdet Ihr neben Allem, was da ist, stehen oder es von oberhalb betrachten. Also Euer Körper steht im Wald und trotzdem empfindet ein Teil von Euch sich oberhalb oder außerhalb des Waldes. Euer Gehirn befindet sich schon in einem weit transformierten Zustand. Dadurch, dass Ihr noch auf dieser Erde mit ihren alten Strukturen lebt, ist ein Teil Eures Gehirns auch für diese Strukturen zuständig und sichert einstweilen Euer Überleben im materiellen, aber auch in gesellschaftlichem Sinn, denn um es noch einmal mit den Krebszellen zu vergleichen, würden die Krebszellen, also andere Menschen, Euch als gesunde Zelle wahrnehmen, so würdet Ihr natürlich, wie es der Struktur der Krebszelle entspricht, von dieser vernichtet werden. Und dafür, Euch, eine gesunde Zelle, als Krebszelle zu tarnen, ist ein Teil Eures Gehirns zuständig.

Natürlich ist auch dieser Teil Eures Gehirns bewusst und weiß, dass es ein Spiel spielt, der andere Teil Eures Gehirns schwingt bereits in der höheren Frequenz und stellt die Brücke dar zwischen neuen und alten Strukturen, dass irgendwann der Zeitpunkt kommt, wo Ihr mit Eurem Körper die alte Struktur ganz verlassen werdet und Euer Gehirn zu 100 % in der neuen Frequenz schwingt, versteht sich von selbst. Aber bis dahin ist für Manche ein langer Weg, für andere ist er bereits kürzer geworden, die Gefühle, die Ihr aus den alten Strukturen bezieht, werden merklich weniger, andere wiederum bleiben bestehen, das kann für so Einiges ein Zeichen sein, es kann bedeuten, dass dieser Teil der Gesellschaft noch eine Geschichte bereit hält, um daraus zu lernen, um sich von dieser alten Struktur zu lösen, es kann aber auch bedeuten, dass es ein Teil ist, der auch in der neuen Struktur noch besteht, auch mit Menschen verhält es sich gleich, Menschen, die Euch gleichgültig geworden sind repräsentieren die alte

Struktur, es sind vermehrt Menschen, die sich auch in Zukunft nicht entwickeln werden, die meisten von ihnen werden sich ohne großes Aufsehen aus Eurem Leben zurück ziehen, andere machen ein wenig Lärm und verlassen dann Euer Umfeld. Andere wiederum bleiben, mit jenen befindet Ihr Euch auch weiterhin im inneren Austausch. Also zur Auffrischung, Etappe 1, man will nicht umkehren (man möchte die Absicht des Schöpfers tun). Etappe 2, man kann nicht mehr umkehren (man kann die Absicht des Schöpfers tun) – bewusster Mitspieler.

Etappe 3 (man muss die Absicht des Schöpfers tun). Sichtbarer Träger der Absicht des Schöpfers, somit Schaffung des Lichtreiches des Schöpfers auf Erden.

Geisteswissenschaften: Den Geist kann man nicht studieren. Er ist. DU BIST, ICH BIN, WIR SIND.

Chakren

1. Basischakra / Wurzelchakra

Positiv:

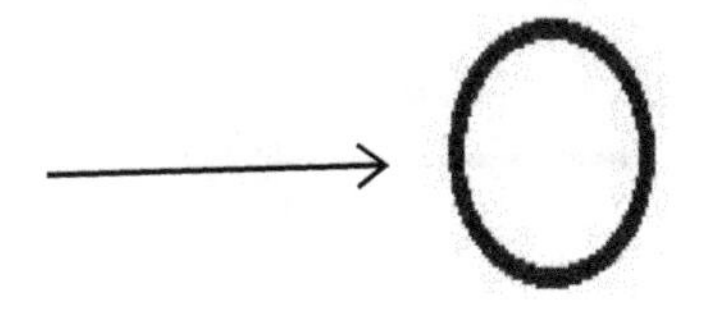

Urvertrauen in sich selbst,
Stabilität in sich selbst,
Überleben

Erdung

Negativ:

Niedere Instinkte

Überleben
für sich
selbst,
Macht für
sich selbst
Abwechseln
d positiv u.
neg.

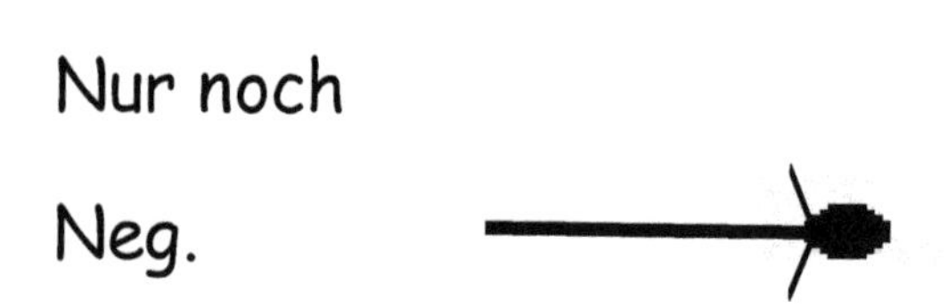

2. Sakral – Sexualchakra

Energie-anstieg
→

Positiv:

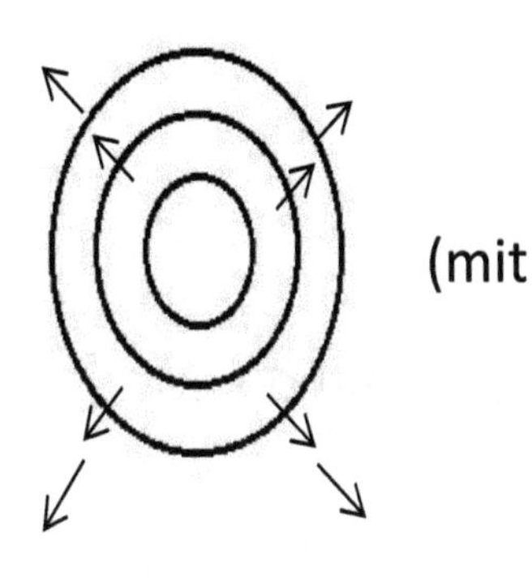

Gefühle (Farben)
Sexualität (mit Liebe)
Kreativität
Weisheit
Verarbeitung der Gefühle

Negativ:

Gefühle (Farben)
Sexualität (ohne Liebe) Nichtfähigkeit
Gefühle zu verarbeiten
Unfähigkeit durch Erfahrungen zu lernen

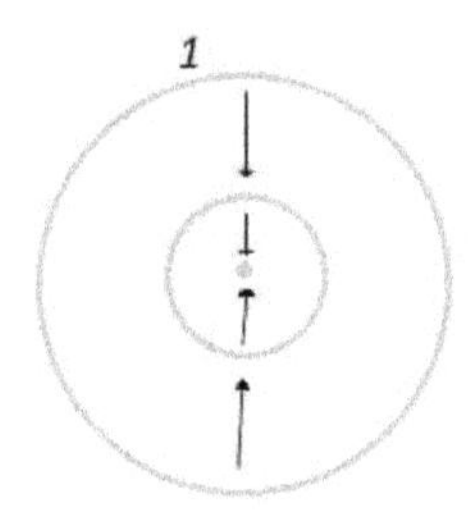

2

3. Nabelchakra - Magenchakra

Positiv:

Absicht

Weisheit

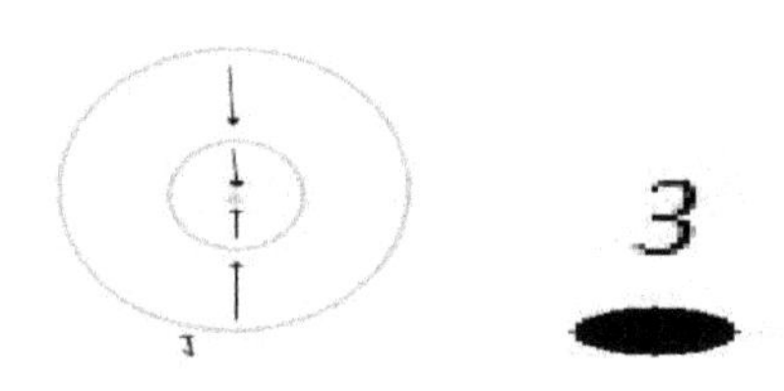

Negativ:

Ideen zum Zwecke der Gewinnanhäufung

Wille /Macht
Eigensinn

3a. Das Energiefeld des Magenchakras kann auch als Machtzentrum betrachtet werden.

Viele bezeichnen das Energiefeld als Machtzentrum, in das nicht nur die Macht, die über andere ausgeübt wird, sondern auch die Macht, die über einen ausgeübt wird, spürbar ist. Macht ist ja für sich gesehen aber kein wahrnehmbares, definierbares Gefühl, wie Trauer oder Freude oder aber auch Zorn. Im Lauf Eurer Entwicklung verschwindet das Energiefeld des

Magenchakras vollständig. An ihre Stelle tritt eine Vergrößerung des Nabelchakra-Energiefeldes auf. Die Energie von Absicht und Weisheit nehmen zu. Diesen Ablauf möchten wir auch mit dem Wort „Schutzfeld" definieren. Da sich die Energie, Macht über andere auszuleben, aufgelöst hat und an deren Stelle die Absicht Eurer positiven Gefühle getreten ist, könnt ihr auch die Macht, die über Euch ausgeübt wird, nicht mehr spüren. Die Information darüber, ob jemand die Mächtigkeit über euch ausschüttet, erhält ihr fortan durch euren Mentalkörper und kann Euch somit Verständnis halber beschrieben, mit dem

Wort seelisch nicht mehr verletzten. Auf der anderen Seite für die Menschen, die den negativen Weg beschritten haben, gilt der umgekehrte Weg. Dass diese sowieso nicht verletzt werden können, werden wir hier sinngemäß beschreiben, indem wir euch mitteilen, dass in diesen Fällen, die Energie des Magenchakras, sprich Wille / Macht, das Energiezentrum des Nabelchakras zerstört. Dadurch tritt die Unfähigkeit ein, Gefühle anderer wahrzunehmen, somit auch die Eigenen wahrzunehmen und aus diesen zu lernen - Gefühlskälte entsteht. Somit ist das Nabelchakra zerstört und nur mehr die Handlung in Willen und Macht ist somit möglich. Das führt zur Auslöschung des Herzchakras und letztendlich zum Tod eures Gottesfunkens. Abgesehen von Jenen, die gar keinen Gottesfunken haben. Energetische Angriffe, die andere aus eurem Machtzentrum auf euch ausüben kann nur so lange wahrgenommen werden, bis ihr es zur Gänze geschafft habt, das Energiefeld des Magenchakras, durch das Energiefeld des Nabelchakras zu ersetzen. Diese Angriffe können das Energiefeld des Nabelchakras nachhaltig schwächen. Sogenannte psychische Erkrankungen und schwere Lebenskrisen entstehen. Gerade dieser Umstand kann für

euch aber eine Große
Entwicklungschance bedeuten.
Ihr könnt euch an dieser Stelle
entscheiden für euer Wohl
kämpfen zu wollen, oder euch
selbst der Zerstörung
zuzuführen, indem ihr als
Selbstschutz in die Gefühlskälte
geht und somit den negativen
Weg beschreitet. An dieser
Stelle wollen wir auch noch
darauf hinweisen, dass auch die
Wahrnehmung der
Machtenergien durch euren
Mentalkörper nicht ganz ohne
Schwierigkeiten wahrgenommen
wird. Nach solchen Angriffen
reagiert euer Gefühlskörper
zwar nicht mehr mit Schmerz
und Seelennöten, doch die
Verarbeitung dieser negativen

Energie, die euch durch diese Angriffe erreicht, geht mit einer großen inneren Trauer umher. Viele von euch entscheiden sich an dieser Stelle oft für ein anderes Gefühl, das als ein einziges über diese Trauer gelegt werden kann, nämlich der Zorn. An dieser Stelle wollen wir euch sagen, dass Zorn kein negatives Gefühl darstellt, sondern ein Zeichen ist, dass ihr im Ursprungsgefühl seid, als ihr den Schutzkörper noch nicht entwickelt hattet. An dieser Stelle eine seelische Verletzung in eurem Gefühlsbereich vorhanden gewesen wäre. Der Zorn soll euch diesen Umstand aufzeigen. Zorn aber wühlt euch auf, und die Trauer bringt euch in den Frieden. Deshalb wäre es anzuraten, Euch anzugewöhnen, in diesen Fällen das regelmäßige Bad im Meer der Trauer zuzulassen. Beim negativen Weg wiederum, bezeichnet der Zorn die Vorstufe des Hasses. Dieser Zorn ist ein Verweis darauf, dass Macht / Wille nicht ihr Ziel erreichen konnten. Erreicht diese Macht / Wille bei der immer gleichen Person oder immer gleichen Personen nicht das Ziel, stellt dieser Zorn den Übergang zu Hass dar. Für die Menschen, die den positiven Entwicklungsweg beschritten haben, ist die Struktur des Hasses nicht einordbar, weil nicht in ihnen definiert. Was diese Menschen wissen, ist, dass Hass den Gefühlskörper schädigt. Und durch Menschen, die hassen, viel Zerstörung und Ungerechtigkeit auf der Welt herrscht.

Das Energiebild der Ellipse

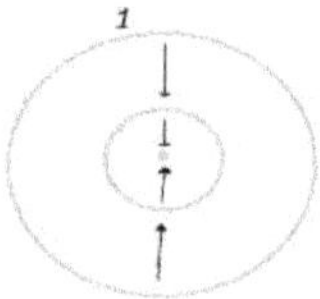

Dieses Energiebild ist wohl das Konfuseste, das es gibt, aber auch ein Bild dessen Träger vor die Entscheidung gestellt werden, ob sie nun den Weg des Lichts oder den der Dunkelheit gehen möchten. Alle nächsten inneren Haltungen und deren darauffolgenden Handlungen, werden bestimmend sein für Euren zukünftigen Weg. Durch diese falschen Entscheidungen und die darauffolgenden Handlungen schwächt dies das Nabenchakra. Eure Fähigkeit für Mitgefühl nimmt ab und schwächt somit wieder euer Herzchakra. Das wiederum lässt euer Basis- und Wurzelchakra die Energie verlieren. Das hat zur Folge, dass ihr bei der Sexualität keine wahren Gefühle mehr einsetzt, sondern nur mehr zur niederen Befriedigung Eures Körpers wird, Das Wurzelchakra, das auch tief mit der Liebe der Erde verbunden ist und somit auch mit der positiven, lebendigen Haltung zu Euren Grundbedürfnissen (Bestandteil des Urvertrauens). Durch die Schwächung Eures Wurzelchakras werden Grundbedürfnisse zu Euren tiefsten Trieben. Ihr seid somit auf dem Weg zu einer rein materiellen Intelligenz zu werden.

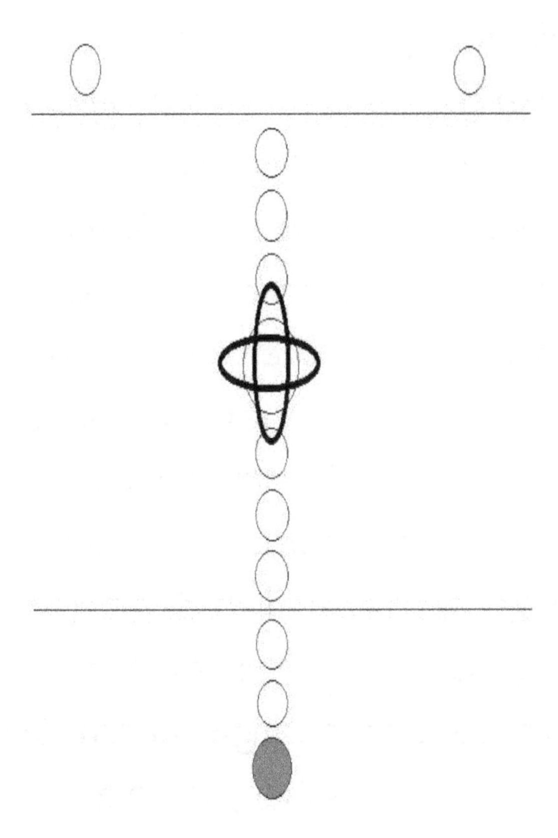

Zeig mir deine Freunde und ich sage dir zu wem du werden könntest.
Nachstehend möchte ich euch noch eine farbliche Darstellung

eines ellipsenförmigen
Energiebildes vorstellen. Hier,
bei diesem Bild, kann man
erkennen das die Einwirkungen
von außen immer mehr auf einen
(diesen) Menschen eingewirkt
haben. Das kann jetzt bedeuten,
dass dieser Mensch mit vielen
Menschen in Kontakt ist, die
nicht der lichtvollen Seite
angehören, sondern Viele mehr
auf materielle Dinge achten. Das
sind oft Menschen, die immer
darauf achten, wie sie gekleidet
sind...
Aber Ihr müsst auch bedenken,
dass das nicht nur solche
Menschen sein können, denn es
könnten auch Menschen sein, die
immer negative Gedanken haben,
es gibt Viele, die einen

schlechten Einfluss für einen Menschen mit diesem Energiebild haben könnten. Auf jeden Fall beginne ich jetzt mit dem angeführten Bild. Wir beginnen mit dem Herzen, das sich in der Mitte befindet und einen hellgrünen Punkt symbolisiert. Dieser Punkt beinhaltet den Gottesfunken. Wie man hier sieht, ist dieser bereits ziemlich klein. Hier kann man erkennen, dass dieser Mensch tief in seinem Inneren vergessen anfängt, wie er wirklich war und was er wirklich werden sollte.

Weiters sieht man, dass sich angefangen hat, der Charakter dieses Menschen zu verändern, er ist zu einem Träger zweier

Gesichter geworden. Dieser Mensch war zuvor ein sehr einfühlsamer Mensch, das man an der orangen Farbe erkennen kann.
Wenn man weiter den Farben nach außen folgt, erkennt man, dass sich die gelbe mit violett zu vermischt. Violette Farbe bedeutet so viel wie Aggressivität oder auch Gewalt. Die nächst Farbe, die Ihr von innen heraus erkennen könnt, ist die weiße Farbe (hier in Gelb dargestellt, damit Ihr es sehen könnt). ABER wo kann dieses weiße Licht hin strahlen – Das weiße Licht, das von oben – vom Urschöpfer, kommt?

Ja, das weiße Licht, das alles
Positive beinhaltet, kann nicht
mehr strahlen!
Was soll ein Mensch mit einer
solchen Energie, wenn er sie
nicht mehr verwenden kann? Ja,
sie wird immer kleiner werden.
Das bedeutet, ein Mensch, der
vorher Dinge auf der Welt
wahrgenommen hat, die andere
als nebensächlich betrachten,
wird dieser Mensch auch bald als
nebensächlich behandeln. Dieser
Mensch, der vielleicht zuvor die
Natur in seiner vollen Schönheit
wahrgenommen hat und diese
auch zu schätzen gewusst hat,
wird solche Dinge jetzt
austauschen und neue Vorlieben
entdecken. Jetzt wird dieser
nach den neuesten Entwicklungen

der Menschen streben und diese zu bewundern lernen.
Das weiße Licht steht als Verbindung zur 5. Dichte, und unseren höheren Selbsten.
Dieser Kontakt wird im Energiebild der Ellipse immer kleiner werden und die Manipulation der Systeme auf Erden, werden diesen Menschen regieren (wie man an der dunkelgrünen Schicht erkennen kann). Im weiteren Verlauf wird dieser grüne Schild, der vor Tausenden von Jahren von den Dunkelkräften erschaffen wurde, den Menschen von positiven Energien abbringen und ihm durch die Manipulation neue Glückseligkeiten beibringen.

Durch die Manipulation ist dieser dunkelgrüne Schild verfestigt worden und hat sich wie eine (un-) freiwillige Hülle über diesen Menschen gelegt. Nun beginnt dieser Mensch sich innerlich und äußerlich zu wehren – er wird unberechenbar. Dieser Mensch beginnt sich von innen heraus zu wehren, da er einerseits seine alten Prinzipien nicht aufgeben will, aber der andere Teil in ihm will den neuen Prinzipien Einzug gewähren.
Wie man auch sehen kann, sind die negativen Einwirkungen von außen näher ans Herz gerückt.
Abschließend möchte ich euch noch einen Tipp geben, denn ihr könnt solch einem Menschen nicht helfen, wenn ihr ihm Eure

positive Energie gebt. Denn solche Menschen stehen an einem Punkt ihn Ihrem Leben, wo sie sich für ihr gesamtes weiteres Leben entscheiden müssen, ob sie den Weg der manipulativen Wirtschaftsgemeinschaften gehen wollen, oder sie an ihren eigenen Prinzipien festhalten wollen, die tief aus ihrem Inneren kommen, um nicht zu sagen von ihren höheren Selbsten.

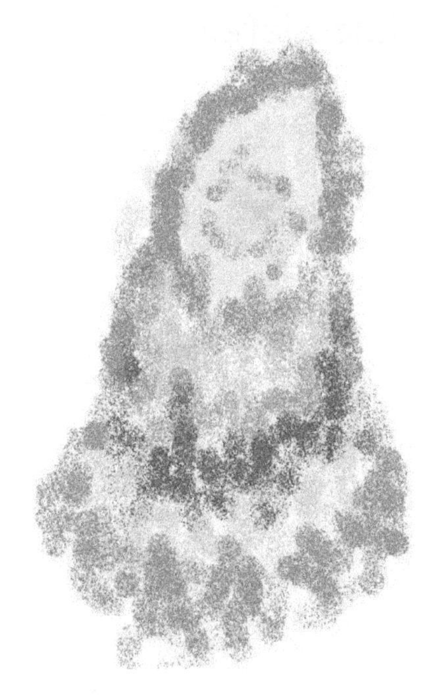

Somit wären wir beim
Energiebild des Punktes
angelangt

Das Punkt - Energiefeld

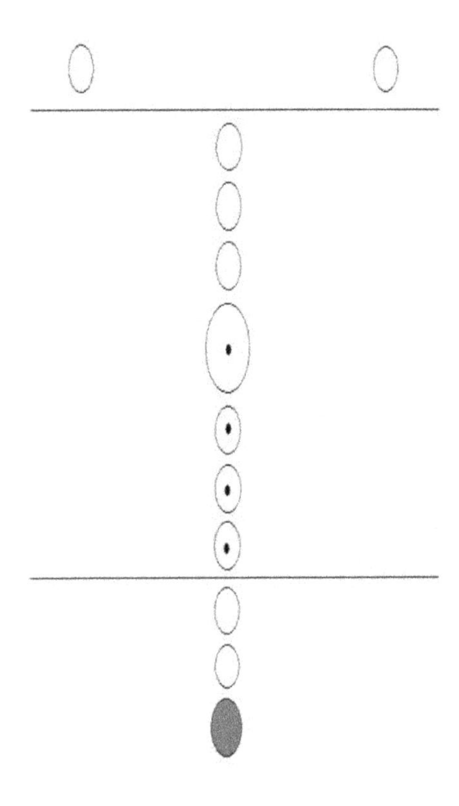

Wenn Ihr Träger des Punkt - Energiebildes seid, seid Ihr keine konfuse Energieform des Übergangs in die Dunkelheit mehr, sondern eine recht stabile materielle Intelligenz. Das heißt, dass Ihr Euren Gefühlskörper so gut wie zu Fall gebracht habt. Der Punkt in Euren Energiezentren weist darauf hin, dass Ihr vor dem letzten Schritt steht und dann Euren Gefühlskörper endgültig zu Grabe getragen haben werdet. Für diesen letzten Schritt ist nichts besser geeignet als ein gezielter Angriff auf einen Lichtträger. In dem Ihr einen letzten vernichtenden Angriff auf das Licht (Gefühlskörper) in einer anderen Person vollzieht, zerstört Ihr den letzten Funken Licht in Euch selbst. Das hat zur Folge, dass Ihr auf den Weg bringt, einen der Thronplätze unter den vielen Thronplätzen der materiellen Intelligenzen auf Eurer Erde einzunehmen. Somit sprechen wir vom Persönlichkeitsbild, denn von einem Energiebild kann man hier nicht mehr sprechen. Euer Persönlichkeitsbild wird hier im Weiteren beschrieben unter Kreuz- oder Sternbild.

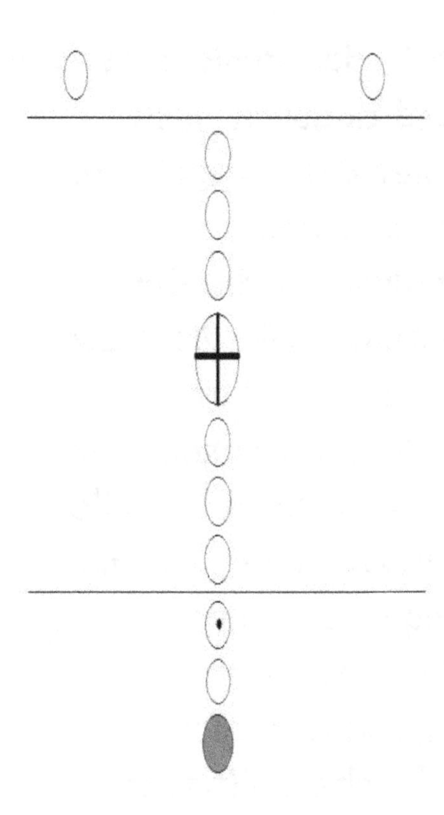

Natürlich gibt es auch für materielle Intelligenzen für ihre Gewichtigkeit noch Steigerungsformen, die wir der Vollständigkeit halber hier auch darstellen möchten. **Die Steigerung zeigt sich an der**

Intensität, den dunklen Weg zu leben, und dadurch auch oftmals mit den materiellen Schätzen und den Machtstellungen, die Eure Erdensysteme, für die diese bereithalten, belohnt zu werden. Deshalb nennen wir diese Persönliche Materielle Intelligenzen. Aber nicht nur diese Wege werden von materiellen Intelligenzen gegangen, sondern auch wirtschaftliche, politische, religiöse Unterdrückung können sie ihr Eigen nennen!

4. Herz Positiv:

Liebesbeziehungen /
Beziehungen
Neutral
Mitgefühl

Herzenswärme
Heilung
Entwicklung des höheren
Herzens,
Verstehen, Begreifen, Erkennen
(Verzeihen)
Negativ:
Beziehungen
Berechnung / Lüge
Macht (Unterdrückung)
Mitleid Herzenskälte,
nicht verstehen, nicht
begreifen, nicht erkennen
(Schuldgefühl)
künstlich erzeugte
Schuldgefühle in Anderen

5. Hals Positiv:

Kommunikation –
Wissensvermittlung, sanfte

Hinlenkung der Menschen zu einem für die Allgemeinheit, somit für jeden Einzelnen, gleichwertigen, angstfreien Leben.

Offenheit

Wenn die Verbindung zum höheren Geist aktiviert ist, öffnet sich das Sprachzentrum und es entwickelt sich die Fähigkeit, höhere Informationen verbal zu äußern. Höherer Geist: Das bedeutet bei der Frau Integrierung des männlichen Anteils (= Mental), beim Mann die Integrierung des weiblichen Anteils (Gefühl). Dies bedeutet wiederum für die Frau, die Fähigkeit

Informationen durch höheres
Bewusstsein verbal zu äußern,
beim Mann die Fähigkeit
Informationen durch
Bewusstheit zu empfangen.

Negativ:

Kommunikation - Manipulation
Lüge

Man denkt manipulativ und man
spricht in der Lüge berechnende
und manipulative Worte, um
Macht über andere zu erlangen,
ohne an das Wohl des Anderen,
noch an das Wohl der
Gemeinschaft zu denken,
sondern nur seine eigenen,
niederen und materiellen,

machttriefenden Bedürfnisse zu befriedigen = niederes Ego

6. Stirn (Drittes Auge) Positiv:

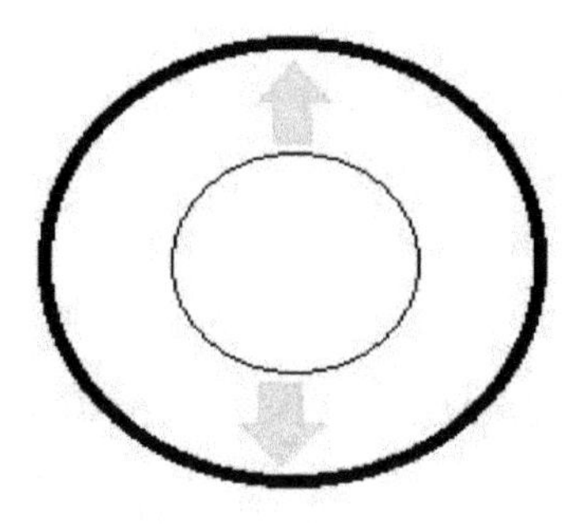

Geht auf, wenn das Herz überdurchschnittlich geöffnet ist.
Man kann Bilder höherer Dimensionen wahrnehmen (man erreicht Bereiche der eigenen, höheren Intelligenz in sich selbst), kann aber auch reisen

durch Raum und Zeit. Sowohl in höhere Dimensionen als auch zu verschiedenen Punkten der Erde, ob Gegenwart, Vergangenheit oder auch Zukunft.
Ohne aktiv vollendetes höheres Herz, kann man die Wahrnehmungen des dritten Auges (Hellsehen), als auch das Hellhören nicht richtig begreifen, somit wird diese Information verfälscht wahrgenommen und somit zu einer eigenen Manipulation. Und in weiterer Folge durch Übermittlung an andere zu einer Fremdmanipulation (Bibel), die dann wiederum zu neuen Hierarchien und Machtstrukturen führen. Da an diesem Vorgang auch

maßgeblich Drüsen beteiligt sind, gibt es auch die Möglichkeit das 3. Auge durch verschiedene Stimulanzien (wie Drogen) zu öffnen! Da dieser Weg kein natürlicher ist (Stimulanzien), ist auch der Körper, vor allem das Gehirn, durch die künstliche Steigerung der Frequenz überfordert und wird bei nachhaltiger Anwendung sogar geschädigt.
Da auch durch psychische Erkrankungen und Drogenmissbrauch solche Vorgänge ausgelöst werden können, bräuchte es in diesem Fall, schon sehr reife, hoch entwickelte Psychologen, da aber die Erdensysteme solche nur im geringsten Maße vorzuweisen

haben, ist der glückliche Ausgang einer solchen Öffnung nicht gewährleistet und wird in den meisten Fällen, statt kundig begleitet und auf einer stabilen Bewusstseinsebene stabilisiert, mit Tabletten versucht, diese Menschen in den Zustand vor dieser „Krankheit" zurückzuführen. Somit wird vielen Menschen die Möglichkeit wieder genommen, sich durch diese Turbulenzen, die meist durch eine Lebenskrise ausgelöst wurden, ihre Entwicklung auf einen neuen Daseinsstand zu stellen.

7. und 8 Chakra: Krone - Scheitel

Informationen höherer Bewusstheit können in verschiedenen Teilabschnitten begriffen werden und zur Selbstbewusstheit führt und im weiteren Verlauf zu höherem Bewusstsein, auch universelles (ganzheitliches) Bewusstsein. Dieser Prozess ist abgeschlossen, mit vollendetem Energiekörper Mensch.
Die Vollendung des (kosmischen) Energiekörper Mensch stellt auch den realen Übergang zu der 4. Dichte in die 5. Dichte dar.

Was führt zur Aktivierung des höheren Herzens (universelle Liebe)?

Die Aktivierung des höheren Herzens ist die Summe von richtigen Entscheidungen. Das richtig in Bezug auf die Absicht des Schöpfers erhebt sich über das richtig und falsch von menschlich erschaffenen künstlichen Realitätskonstrukten.
Wegweiser für die Summe der Entscheidungen, die in der Frequenz der Absicht des Schöpfers liegen, ist ein voll aktiver, somit gesunder **Gefühlskörper.**
Kronenchakra: Beginn der Übergangsdichte 4 (Jenseitsbereich, Reinkarnation im Leben)

Das höhere Herz, das das dritte Auge zum Öffnen brachte, verbindet sich nun mit dem Kronenchakra. Darauf beginnen die drei Energiefrequenzen, höheres Herz, 3. Auge und Kronenchakra in Verbindung mit vereinten Gefühls- und Mental-Gerhirnarrealen als eine Einheit zu arbeiten. Nun werdet Ihr mächtig, höhere Informationen in Euer Energiefeld zu ziehen und zu begreifen und dadurch zu einer handelnden Absicht des Schöpfers zu werden, somit in Euch aufzunehmen. Die höhere Information wird ein Teil Eurer Datenbank, so wird höhere geistige Information zuerst in Euch und dann in Folge auf der Erde verankert.

Von Chakra 8 bis 13 ist jeweils die Jenseitsdichte der 4. Dichte beschrieben.

8. Chakra

Wenn Euer 12. Chakra sich zu öffnen, beginn, findet gleichzeitig eine Veränderung in Eurem Energiekörpern statt.
Um euch diesen wunderbaren Weg des Lichts verständlich zu machen, beginnen wir Euch hier die Energiekörper zu erklären:

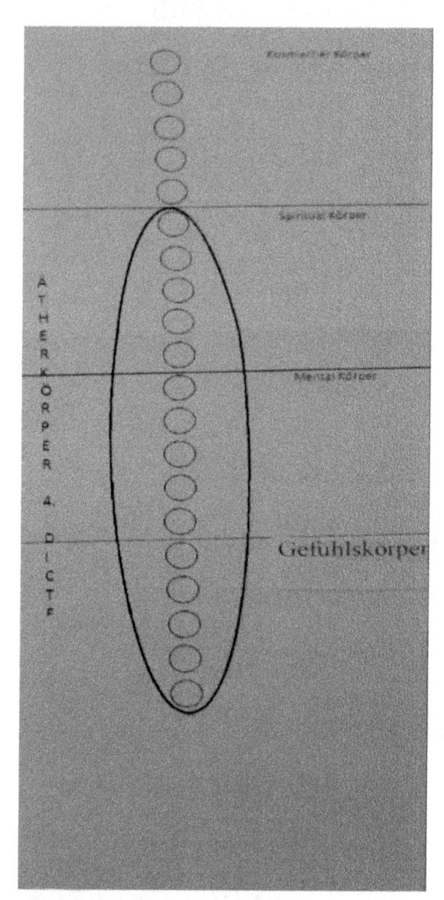

Wir beginnen zuerst mit dem Äther-, Gefühl-, Mental-, Spiritualkörper.

Der Ätherkörper ist der Körper der 4. Dichte. Er beinhaltet die Energien des Gefühls-, Mentals- und Spiritual-Energiefeldes in Euch. Ist die Energie des 4 D in Euch vervollständigt, beginnt die Energie der 5 D in Euch einzutreten.

Jeweils zwei Chakren fließen dabei in ihrer Entwicklung ineinander, sie bezeichnen die Energiefelder der Jenseitsdichte, die mit drei Farben beschrieben wird. Orange (Karma) achtes und halbes neuntes Chakra. Gelb (naives Karma) halbes neuntes und zehntes Chakra – die Meistergrade beginnen in der energetisch letzten Jenseitsebene, im Übergang

vom naiven zu Karmaauflösung
- Meistergrad = letzte Hürde
- die nächsten Meistergrade befinden sich im Chakrenbereich der weißen Jenseitsdichte. Weiß, (Karma Auflösung) elftes und halbes zwölftes Chakra, (Karma Beendigung) halbes zwölftes und dreizehntes Chakra ist das endgültige Verlassen der Jenseitsdichte und der Gebundenheit an diese und endet mit dem letzten Tod und beginnt mit der Geburt des neuen Bewusstsein Mensch.

Halbes 9. und 10. Chakra - die liegende 8, die innere Weisheit
- Übergangsdichte

(Jenseitsbereich,
Reinkarnation im Leben,
Reinkarnation im Leben ist derzeit erstmalig auf der Erde möglich - Jesus)

Ab dem halben 9. Und 10. Chakra beginnen (siehe oben) die Bilder mit dem geistigen Wort zu verbinden.

Zu dieser Zeit tretet das obere Energiebild in Bereich des Herzchakras. Die höheren Informationen, die Euch erreichen, bewirken Eure Bewusstseinserweiterung. Sobald Ihr einen Teil der höheren Informationen begriffen habt. Die Informationen, die in Euch eintreten, die Ihr im Moment nicht begreift, werden Euch so lange in Wiederholungen zugespielt, bis Ihr sie begriffen habt. Das höhere Energiefeld tretet somit immer mehr in Euer schon hohes Energiefeld ein, bis dieses vollständig zum höheren Energiefeld transformiert ist. Am Schluss steht der wohl wichtigste Satz „Ihr habt begriffen, dass Ihr begriffen habt". Nein, noch viel mehr, Ihr habt begriffen, dass Ihr begriffen habt, dass Ihr begriffen habt."

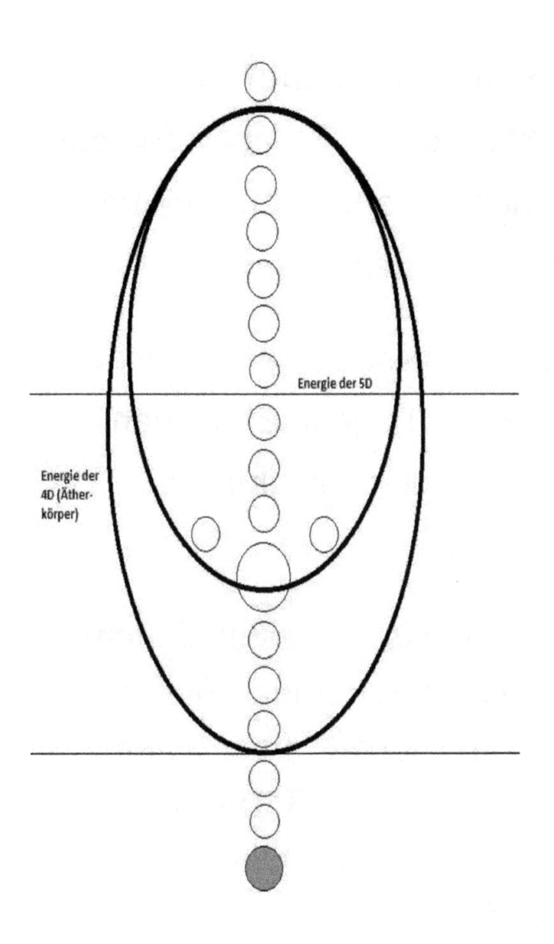

Das Energiebild der 5D arbeitet nur mehr in dem Sinn der Informationen, dass die verschiedensten Informationen zu einer Lichtsprache verschmolzen sind. Die Gefühle dienen als Alphabet der Lichtsprache. Spürbar für Euch ist nur die eine gleichbleibende Frequenz der Urquelle.

Das Energiebild der 4D arbeitet mit Bildern, geometrischen Mustern und Gefühlen / Emotionen.

Oder so wie Ihr es auch nennt, einen Meister. Einen Meister der Dritten Dichte, denn jener Mensch hat die 3. Dichte gemeistert, **somit in sich beendet**.
Meister leben meist unerkannt, unter den Menschen, lernen durch Beobachtung der Manipulationen der anwesenden Strukturen, Ideen zu entwerfen. Ideen, um für die Menschen hilfreiche

Entwicklungssysteme auf der Erde zu verankern. Meister der dritten Dichte sind dennoch Menschen, die noch den körperlichen Tod erfahren können. Der Unterschied ist allerdings, dass ihr Selbst nach ihrem körperlichen Tod in die weiße Jenseitsfrequenzebene gelangt und somit die Möglichkeit erlangt, sich mit ihren Selbsten in der 5. Dichte zu verbinden und somit ein reales körperliches Leben dort zu führen. Natürlich gibt es auch im Fall der Meisterschaft verschiedene Grade, die wie folgt beschaffen sind:

1. Der Weg hin zur Meisterschaft (4. Dichte - Jenseitsbereich) Ende des gelben Energiebildes = Meistergrad 1

Zum Frequenz-Grad des Meisters, der über die Dritte Dichte geht, ist „Der Weg der Liebenden" Das innere Einverständnis gebend, sich entwickeln zu wollen. Die Bereitschaft zu

haben, zu sterben, um neu informiert zu werden. Die Entscheidung Wurzel für eine neue Menschheit sein zu wollen.

1. Den Weg zu gehen
2. Den Gleichwert in sich gefunden zu haben. Der

Träger der Frequenz des
höheren Herzens
geworden zu sein.

3. Körper **Spirit**
Die Hürde der Macht
genommen zu haben

1. Wahrhaftig gestorben zu
sein. Der Beobachter des

Meistergrad 1
Kosmischer Körper manifestiert
sich in dem
Menschen

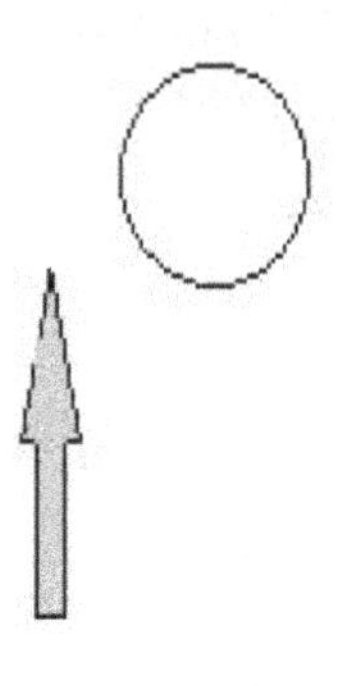

Meistergrad 2, weißes
Energiebild
Elftes und halbes 12.
Chakra – Der innere Mut
für sich selbst, der innere
Mut für Andere

Meister Grad 1 und die Entscheidung wiederum, Wurzel für die Menschheit sein zu wollen, erneuter Sterbeprozess in der erstmalig - der Dritte-Dichte-Meister durch sein Selbst in der Fünften Dichte in Kontakt - kommt mit dem Informationsgrad der Sechsten Dichte in Kontakt. Es erfolgt von der Sechsten Dichte eine Idee, um der Menschheit bei der Entwicklung hilfreich zu sein. Die Idee gelangt von der Sechsten Dichte in das eigene Selbst der Fünften Dichte und von da in Eure Selbste in der Dritten Dichte. Habt Ihr die Wurzel, somit die Idee auf Erden verankert, folgt Phase Drei: Die Begegnung mit Eurer

Dualseele, das heißt, mit Eurem eigenen Selbst in der jeweiligen Entsprechung des anderen Geschlechts. Die Zusammenführung erfolgt durch die Verankerung der höheren Idee auf Erden. Das heißt jetzt nicht, dass ihr die ident selbe, höhere Idee auf Erden verankert, sondern nur, dass die Verankerung des Selbigen unweigerlich zueinander führt und das ist dann ein schier unglaubliches Erlebnis für Euch. Eure innere Einheit manifestiert sich in der Äußeren Einheit. Der Gedanke und die Handlung sind eins geworden in der Zweiheit. Ihr könnt Eure Frequenz teilen und miteinander leben.

OB IHR RECHT HABT ODER NICHT, ZEIGT EUCH DAS LICHT

Das ist nicht der Weg, der der für die Masse geht. Es geht nicht darum in irgendeine andere Dichte abzuhauen.
Es geht nicht darum einen Weg zu finden um Anti-Falten, Schönheitsoperationen und Krematorien überflüssig zu machen.
Es geht auch nicht darum, durch die innere Einheit die Zweiheit (Dualseele) zu finden.

Es geht auch nicht darum, eine wichtige Rolle in der Gesellschaft zu spielen.

Das ist der Weg des Einzelnen, der ihn für die Masse geht.

Man kann den Weg auch umgekehrt gehen – man beendet die Tyrannei.

In der Mitte offenbart sich der Weg.

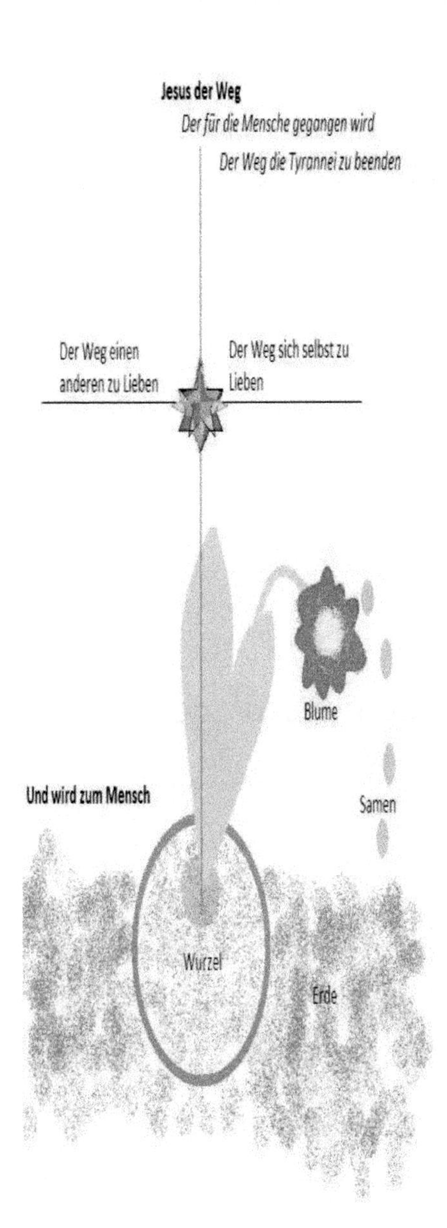
Jesus der Weg
Der für die Mensche gegangen wird
Der Weg die Tyrannei zu beenden
Der Weg einen anderen zu Lieben
Der Weg sich selbst zu Lieben
Blume
Und wird zum Mensch
Samen
Wurzel
Erde

Das ist der Inhalt

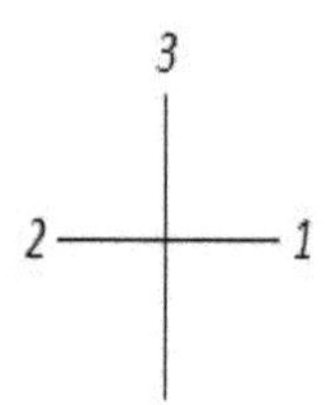

Das ist das Finden des Weges

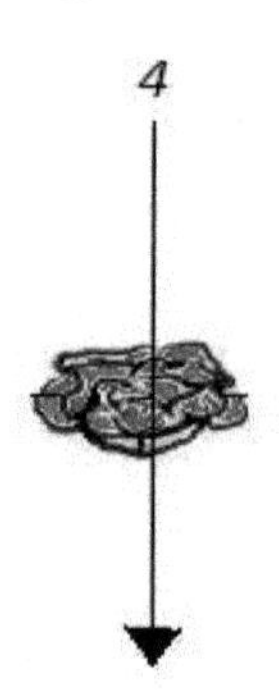

Das ist der Weg, selbst in die Mitte des Raums, den es gar nicht gibt.
Grundbaustein dieses Weges ist die Mitte, die von Jesus symbolisiert wird.
Der Einzelne ist so wichtig wie die Masse. Die Masse ist so wichtig wie der Einzelne.

Man kann der Masse nicht helfen, wenn man nicht ein Einzelschicksal zur höchsten Priorität der Masse erhebt. Bei einem Einzelschicksal sollten die Menschen stehen bleiben und es wirklich lösen. Jedes Massensystem würde dadurch zusammenbrechen.

So muss man dem Einzelnen helfen, um der Masse zu helfen. Die Masse stellt das Konstrukt aus Menschen dar, die aus nicht gelösten Einzelschicksalen besteht. Die Anderen, die aktive Träger der Tyrannei sind die, die sich an die Macht halten.

Möge Euch das Licht in Eurer Zukunft erhellen was Ihr in der Vergangenheit übersehen habt.

Wenn der Inhalt die Gegebenheit erreicht, ist es so als würde ein Samen den Boden erreichen. Er erreicht den Boden, schlägt Wurzeln in die Erde, treibt aus und nimmt als eine „neue Blume" Gestalt an in

der Realität. Viele Samen folgen nach, wurzeln und erblühen.
Die neue Realität auf Erden nimmt Gestalt an. Gestalt, die in der
Mannigfaltigkeit des Schöpfers begründet liegt.

Meistergrad 3 halbes 12. und 13. Chakra (Der Mut für Andere - Beobachter) Bewusstes körperliches Sterben im Augenblick. Höchstmöglicher Energiegrad. Letzte Einweihung

Jeder Mensch schreibt seine ganz eigene Lebensgeschichte. Lebensgeschichten werden von jedem Menschen geschrieben. Viele sind Teile von

Lebensgeschichten Anderer. Die Anderen sind Teile, wiederum Teile der eigenen und Teile der Lebensgeschichten Anderer. Ab diesem Energiebild hat man seine höchst persönliche Lebensgeschichte der dritten Dichte zu Ende geschrieben.
Eure Lebensgeschichte hat Euch zum Licht geführt. Ihr seht, dass andere noch dabei sind ihr „Lebenswerk" zu schreiben. Durch ihre Taten, Handlungen, oder Nicht-Handlungen beschreiben sie ihr eigenes, inneres Selbst und somit werden sie nach außen hin, Mitschöpfer anderer
Lebensgeschichten, somit auch Mitschöpfer innerer und äußerer

Dramen. Aber auch Schöpfer der eigenen Lebensgeschichte.

Dieses Energiebild bezeichnet nicht die innere Haltung, keine Dramen mehr zu brauchen, sondern die innere Anwesenheit der vollzogenen Dramenlosigkeit. Dieses Energiebild reagiert nicht mehr auf Dramen, weil diese aus diesen Dramen schon gelernt haben. Weil in ihnen kein Drama mehr anwesend ist, kann sich kein äußeres Drama mehr mit dem inneren Drama verbinden. Dieses Energiebild bezeichnet einen **Beobachter!**

4. Körper (Spirit)

Diejenigen, denen die Macht zum Verhängnis wurde. Ihr erinnert Euch, dass beim Anstieg des Energiekörpers 4 zuerst das höhere Herz geöffnet wird, sich die Energie auf einen Punkt konzentriert.

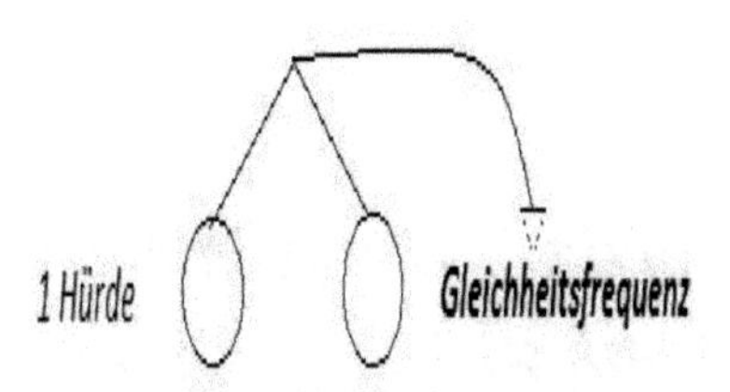
1 Hürde
Gleichheitsfrequenz

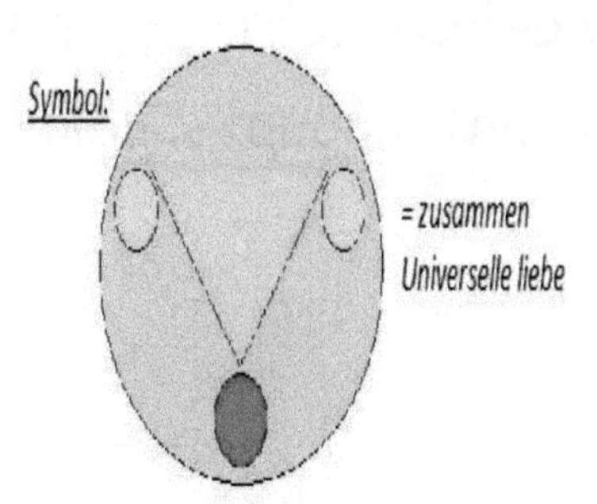
Symbol:
= zusammen
Universelle liebe

2. Hürde: „Wenn Ihr einige Zeit die Frequenz der universellen Liebe gehalten und gelebt habt." - Öffnung des Hinterhaupt-Chakras 1

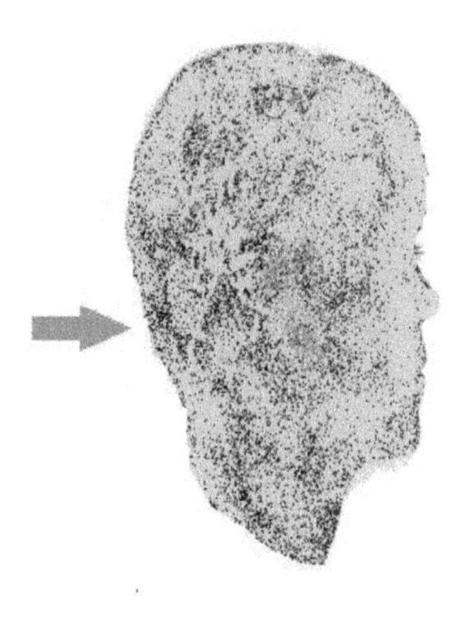

Frequenz halten und Leben heißt: Die Aktivierung des nächsten Entwicklungsschrittes wird bestimmt durch Summe

Eurer Entscheidungen. Bleibt Ihr der Frequenz, die Ihr Euch erworben habt, treu, wird die neu erworbene Frequenz immer stärker. Ihr erlangt Frequenzsicherheit. Frequenzsicherheit heißt immer, dass Ihr diese neue Frequenz als Euer selbst fühlt. Zumindest eine Zeit lang, wie kurz und lang sie auch immer sein mag, bis Ihr wiederum den Zug in und oberhalb spürt. Getragen von einer Sehnsucht, die von dem Bauch und der Magengegend, spürbar ist. Und dann habt Ihr ein Gefühl des Überdrucks im

und über Eurem Scheitelchakra, ein Riesenpaket von Informationen ist in Euer Energiefeld eingetreten. Fast so, als wäre das Postfach Eures PCs randvoll mit E-Mails. Hunderte von E-Mails. Entwicklungsnebenwirkungen plagen Euren Körper. Es schießt durch Eure Nervenbahnen.
Die Frequenzänderung, den Frequenzwechsel empfindet Ihr als schiere Tortur für Euren Körper. Viele von Euch machen es bei jedem Frequenzwechsel durch, gleich wie ein Kind, das immer wieder auf die

heiße Herdplatte greift!
Aber spätestens jetzt
solltet Ihr schon zum
bewussten Energiearbeiter
werden!
Und das geht wie folgt:
Ihr macht alle
Informationsstränge auf,
ungefähr als würdet Ihr
bei einem Buch die
Kapitelüberschrift lesen.
Der Buchtitel und die
Einleitung bekommt Ihr
natürlich zuerst. Und dann
könntet Ihr das Buch lesen
= erfahren. Es wurde Seite
um Seite zu Euch gelangen.
Ihr würdet empfangen,
verstehen und begreifen.
Das Begreifen informiert
Euch auf ein Neues. Aus

dem nicht Begriffenen werden Fragen, die Ihr wiederum stellt in Euren Gedanken. Euch selbst in schriftlicher Form auf dem Papier. In mündlicher Form an einen anderen Menschen oder rein in gedanklicher, schriftlicher oder verbaler Form an Euch in höherer Form. Aber egal, wie auch immer. der Gedanke ist immer dabei und durch diesen Gedanken, durch diese gedankliche Frage werdet Ihr zum Sender und erhaltet Eure Antworten in 5 Minuten, in einer Stunde, in einem Monat. Aber Ihr erhaltet sie. Auf einmal macht´s

„klopf", „klopf" und da ist sie, die Antwort. Begreift Ihr die Information diesmal, die Euch in einer etwas anderen Übertragung erreicht, dann ist es gut, denn ihr habt es begriffen. Ansonsten startet das Ganze von vorne. Nichtbegreifen der Information - Fragen - Antworten, aber nun zu den Informationen, die Euch nach jeder gemeisterten Entwicklungsstufe wieder neu erreichen werden. Wir haben uns mit Euch jetzt schon betrachtet, dass Ihr das Ganze sinnbildlich, wie den Posteingang auf einem

PC betrachten könnt. Also, Ihr seid der PC, die Posteingänge stellen die Infos dar, die Euch wiederum höher informieren. Eine Frequenzübung, ein Frequenzwechsel ist die Folge, die wiederum neue, höhere Frequenz stellt dann Euer neues Selbst, das Ihr empfindet, dar. Um in Zukunft Überspannungen durch die höhere Frequenz weitgehend auszuschließen und Entwicklungsnebenwirkungen damit zu verringern oder gar ganz zu beseitigen, raten wir Euch dazu, den Informationsblock, der

Euch erreicht, kapitelweise zu speichern, in Ordnern. Nun wie geht das? Nun, Kapitel so eines Buches haben noch zusätzlich Unter- und Nebenkapitel. Ihr macht also das Oberkapitel auf, geht auf Verschieben in den Ordner „noch zu bearbeiten". Das macht Ihr mit allen Kapiteln dieses neuen Lernblockes, somit löst sich der Energiestau und Ihr könnt mit dem Informationsinhalt diese und der vielen andere Lernblöcke, die da noch kommen, in Ruhe arbeiten. Ein Stressfaktor weniger in

Eurem Leben. Der Stress ist immer
Belastung im Sinne von Überlastung, Eure alte Logik war so schnell wie möglich beim Bearbeiten, um den Energiestau und die damit verbundenen Nebenwirkungen loszuwerden. Aber auch ein wenig die Angst, die Inhalte des Lernblockes zu verlieren (zu vergessen), wenn Ihr es nicht so gleich bearbeitet. Aber vielleicht auch aus diesem Grunde, weil manche vor Euch, einst vor Monaten oder auch vor Jahren um Beschleunigung gebeten haben. Der Stress, der dadurch verursacht

wurde, mag zwar auf gewisse Weise hilfreich gewesen sein, weil dieser Stress andere Stresssituationen überstieg und Euch dabei half, in der neuen Frequenz zu bleiben.
Ihr seid fast bis zum Äußersten gegangen, wart immer kurz davor, Euer Stromnetz zu überspannen, fast bis zur Explosion. War aber auch eine Entscheidung von Euch und am Ende seht Ihr, das sie richtig war, denn betrachtet, was Stress ist, Stress ist nichts anderes als Angst. Deswegen habt Ihr Euer Energienetz

immer wieder überspannt, um die Fähigkeiten zu besitzen, Eure Frequenzspannung über die der Spannung der Angst zu erheben. Umso mehr Angst in Euch war, umso mehr Überspannung der Lichtfrequenz habt Ihr gebraucht. Im Prozess selbst eine sehr unvernünftige Entscheidung, denn die Gefahr Euren Körper durch diese dauernde, energetische Überspannung zu schädigen, oder gar dauerhaften Schaden zuzufügen, war groß. Doch irgendwann habt Ihr im Außen eine oder mehrere

Situationen erlebt, die Euch in Eurem früheren Leben normalerweise Angst machten. Als Ihr aus diesen Situationen heraus wart, konntet Ihr mit Erstaunen feststellen, dass ihr Angst hattet, ohne Angst zu haben. Ihr hattet Angst, Ihr wusstet diese Situation bedeutet Gefahr, aber das war es dann auch schon. Ihr konntet ohne die Überspannung, die Angst normalerweise in Euch auslöste, über eine Lösung dieses Gefahrenpotentials nachdenken und Ihr konntet das Gefahrenpotential richtig einschätzen, Wege

berechnen, wie die Gefahr
zu euch kommen könnte.
Ihr konntet die
Gefährlichkeit der Gefahr
einschätzen.

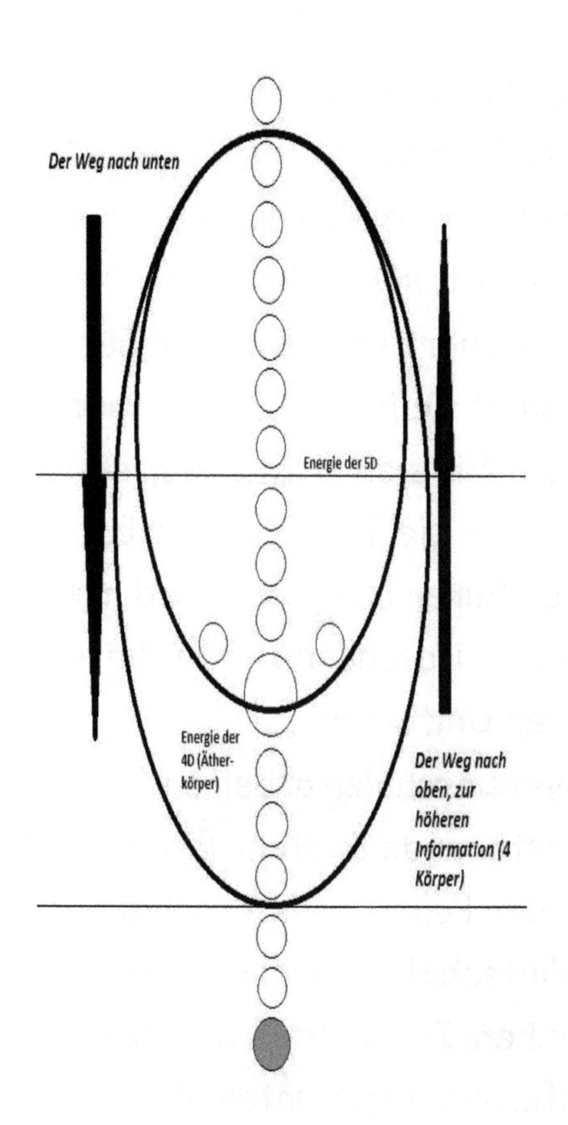
Der Weg nach unten
Energie der 5D
Energie der
4D (Äther-
körper)
Der Weg nach
oben, zur
höheren
Information (4
Körper)

An dieser Stelle eine Geschichte:
Wenn Ihr eine irdische Schule besucht, könnt ihr auch informiert werden, wenn Eurer Selbst Teile dieser Information auch für sich richtig begreift, werden sie Teil Eures Selbst, Teil Eurer Datenbank und mit dieser Datenbank wirkt ihr auf Euer Umfeld ein.
Systemschulen arbeiten für das bestehende System. Ein System in der Politik, Wissenschaft und Wirtschaft an einem Strang ziehen. Ihr werdet von klein auf informiert mit Daten, die ausschließlich dem bestehenden System dienen.

Das Chakra 12 Neuland
= Anderland = Zukunft
Der sechste Körper,
der Anschluss an das
wahre Kollektiv
Mensch

Der sechste Körper ist nicht ein Körper an sich, sondern die Informationsenergie, die in den fünften Körper fließt. Die rein definierte Urquell-Energie Mensch, dieser Energiekörper trägt die Farbe Himmelblau. Diese Energie fließt langsam und gemächlich in den vorher abgeschlossenen Energiekörper ein. Diese Energie beinhaltet keine neuen Informationen mehr, sondern stellt eine

Feinabstimmung der schon vorhandenen Informationsträger dar. Ihr könnt dies auch mit einem Wartungsprogramm vergleichen, das ihr auf eurem Computer benutzt, um zu überprüfen, ob alles so ist wie es sein sollte und alles fehlerfrei ineinanderläuft. Deshalb wollen wir diesen Energiekörper sechs mit dem Begriff Heilung beschreiben. Wir können dieses Chakra nicht mehr mit fünf Kreisen darstellen, sondern mit einem Kreis, der immer größer wird. Diese Energie arbeitet sich in jede Zelle Eures Körpers und wird dadurch absorbiert. Diese Energie erreicht alle Ebenen

Eures Seins, einschließlich Eures Körpers. Somit stellt das Chakra Nr. 15 euer zukünftiges Basischakra dar. Alle vorherigen Chakren sind somit in die Verselbstständigung eures Seins getreten.
Was aber nun heißt Verselbständigung? Das heißt, dass alle Programme, die sich auf dem vorhandene Chakra befinden, in die Selbständigkeit gegangen sind. Wie könnt ihr aber diese Selbständigkeit verstehen? Diese verselbständigende Selbständigkeit können wir Euch anhand eures physischen Körpers erklären:
Wir betrachten dies nun anhand einer Schwangerschaft, würden

diese Abläufe Eures physischen Körpers nicht im Mutterleib in die verselbständigende Selbständigkeit gehen, dann müsstet Ihr Euch damit befassen müssen. Denn Euer Tag wäre damit ausgefüllt, Euer Herz am Schlagen zu halten, Eure Lungen am Atmen, Eure Nieren am Arbeiten, während Ihr daran denkt Eure Hand zu bewegen würdet Ihr Gefahr laufen an einem Organversagen zu sterben. Da Ihr in diesem Moment, wo ihr an Eure Hand denkt, nicht an Eure Organe denken könnt, aber das ist ja sowieso alles egal, denn Ihr würdet keine einzige Nacht überleben, denn würdet Ihr nicht bewusst an Eure

Körperfunktionen denken, würden diese versagen. So ähnlich wollen wir die verselbständigende Selbständigkeit aller vorherigen Chakras verstanden wissen. Dadurch wird die Notwendigkeit und der Ablauf einer Meditation in den Raum eines Lachkrampfes verschoben.
P.S. Diese Geschichte diente nur als sinnige Erklärung, denn würde nicht schon beim Fötus im Mutterleib all diese Abläufe in die verselbständigende Selbständigkeit gehen, würde dieses heranwachsende Wesen nicht einmal den Mutterleib überleben.

Das 16. Chakra, das mit dem Namen Heilung bezeichnet wird

Dieses Chakra beschreibt den Zustand bezugnehmend auf das vorherige Chakra nämlich den Zustand nach einer Geburt, nämlich der Euren:
Eurer Körper ist die Hardware, alle vorherigen Chakras die Software, die im fünfzehnten Chakra in einem komprimiert wurden. Um diesen Punkt braucht Ihr Euch bewusst genau so wenig zu kümmern, wie um Eure Funktion des Physischen Körpers. Punkt um - es funktioniert alles von allein. Was nun zur Grundausstattung, des neuen Menschen auch noch gehört, ist die Verschmelzung in diesen oben beschriebenen Punkt der verselbständigenden

Selbständigkeit des physischen Körpers und allen restlichen Chakren, das heißt konkret: Dass, wenn Ihr auf dieser Stufe Eurer Entwicklung angekommen seid, dass Ihr, wenn Ihr Euch empfindet, nicht mehr Gehirn empfindet oder Körper empfindet, sondern Ihr empfindet Euch als Ganzes, in der Gleichzeitigkeit und überall. Wenn Ihr wisst, Ihr denkt jetzt, empfindet Ihr dieses Denken nicht mehr nur im Kopf, sondern gleichzeitig in Eurem ganzen Sein, vom Kopf bis zur kleinen Zehe. Ihr wisst zwar, wo Euer Gehirn ist, aber Ihr könnt durch Eure Wahrnehmung nicht mehr definieren, wo es sitzt. Der Gedanke, die Lebendigkeit ist spürbar in jeder Zelle Eures Seins.

Nicht mehr Ihr steuert Euren Körper und Euer Sein mit Eurem Willen, sondern die hohe Energie der Urquelle (Schöpfer). Der Gedanke der Urquelle, der in Euch zu Eurer Absicht, die Absicht, die zu Eurem eigenen Gedanken wird, diese Absicht bewegt Euren Körper und Euer ganzes Sein, somit seid Ihr das aus der Absicht (Gedanke) gewordene, fleischliche Wort des Schöpfers. Ihr seid die in Handlung gebrachte Absicht des Schöpfers.

DU BIST

ICH BIN

WIR SIND

Milton Keynes UK
Ingram Content Group UK Ltd.
UKHW050654280324
440307UK00012B/388